Sabine Dinsel / Susanne Geiger

Verbtabellen
Deutsch

Die wichtigsten regelmäßigen und
unregelmäßigen Verben im Überblick

Hueber Verlag

7. 6. 5. | Die letzten Ziffern
2020 19 18 17 16 | bezeichnen Zahl und Jahr des Druckes.
Alle Drucke dieser Auflage können, da unverändert, nebeneinander benutzt werden.
1. Auflage

Redaktion: Jürgen Frank, Hueber Verlag, Ismaning
Umschlaggestaltung: creative partners gmbh, München
Fotogestaltung Cover: wentzlaff | pfaff | güldenpfennig kommunikation gmbh, München
Coverfoto: © Matton Images/Stockbyte
Layout: Satz+Layout Fruth GmbH, München
Druck und Bindung: Kessler Druck + Medien GmbH & Co. KG, Bobingen
Printed in Germany
ISBN 978-3-19-007907-0

Art. 530_14733_001_05

Inhalt

Vorwort

Verbtabellen Deutsch bietet die wichtigsten **regelmäßigen** und **unregelmäßigen** Verben zum **Lernen** und **Nachschlagen**. Das Werk eignet sich zum **Selbststudium**, kann aber auch **kursbegleitend** eingesetzt werden.

Verbtabellen Deutsch richtet sich an Deutschlernende aller Stufen: **Anfänger** bis **Fortgeschrittene** (A1–C2 Gemeinsamer Europäischer Referenzrahmen).
Die Verben aus der Wortschatzliste für das **Zertifikat Deutsch** (B1) sind mit Sternchen* gekennzeichnet.

Verbtabellen Deutsch enthält **83 Verbtabellen** mit verschiedenen Konjugationsmustern. Damit können alle Verben aus dem alphabetischen Register schnell und korrekt konjugiert werden.

Verbtabellen Deutsch ist **umfassend** und **übersichtlich** gestaltet:

- Im **Grammatikteil** werden Verwendung und Formen der einzelnen Tempora und Modi sowie das Passiv in Tabellenform dargestellt und kurz erklärt. Außerdem werden die Regeln der trennbaren und untrennbaren Verben verdeutlicht.
- Die **Verbtabellen** bieten pro Seite ein Verb in allen einfachen und zusammengesetzten Tempus- und Modus-Formen. Indikativ und Konjunktiv sind graphisch klar voneinander abgegrenzt. Besonderheiten der Formenbildung sind blau markiert. Ein kurzer Beispielsatz präsentiert das Verb im Kontext. Am Ende jeder Seite sind Verben aufgelistet, die entsprechend konjugiert werden.
- Im **Register** sind mit ca. 3.000 Verben die wichtigsten regelmäßigen und unregelmäßigen Verben alphabetisch aufgelistet. Der Wortschatz für das Zertifikat Deutsch (B1) ist mit Sternchen* gekennzeichnet. Zusätzlich wird sofort ersichtlich,
  - wo der Wortakzent liegt,
  - wie das Perfekt (*hat/ist*) gebildet wird und
  - ob das Verb trennbar oder untrennbar ist.

Verbtabellen Deutsch bietet darüber hinaus:

- Eine Übersicht der **grammatischen Fachbegriffe** im Bereich Verbkonjugation.
- Nützliche **Lerntipps** zum effizienten und gezielten Üben der Verbformen.

Lerntipps

1 Setzen Sie sich beim Lernen am besten immer **nur ein Ziel:** *Ich möchte Verbformen im Präsens lernen.* Oder: *Ich möchte mir unregelmäßige Verbformen einprägen.*

2 Lernen Sie **zu zweit**, das ist kommunikativer, motivierender und produktiver. So können Sie sich gegenseitig korrigieren, z. B.:

- Person 1 nennt den Infinitiv eines Verbs, Person 2 das Partizip Perfekt mit Hilfsverb: *essen → hat gegessen / trinken → hat getrunken / schneiden → hat geschnitten.*
  Die Verben sollten aus einem Wortfeld stammen, hier: *Essen und Trinken.*
- Person 1 + 2 einigen sich auf ein Tempus/Modus, z.B. Imperfekt: Person 1 nennt ein Verb aus den Verbtabellen + ein Personalpronomen, Person 2 konjugiert:
  fahren + er → er fuhr

3 Lernen durch **Wiederholung**, mit **Bewegung** und über **verschiedene Kanäle** (Sehen + Hören + Schreiben), vergleiche Mnemotechnik.
Notieren Sie auf kleinen Zetteln* (siehe Fußnote) eine Verbreihe, z.B.

- *ich gehe / du gehst / er geht / ...* oder *ich nehme / du nimmst / er nimmt / ...*

Notieren Sie nur die Verben, die für *Sie* wichtig sind bzw. die *Sie* am häufigsten benutzen.
Hängen Sie dann diese Zettel (eine Verbreihe pro Zettel) an verschiedenen Stellen zu Hause oder im Büro auf, sodass Sie sie immer wieder lesen.
Sie können die Verbreihen auch auf eine CD o. ä. aufsprechen und immer wieder anhören, um sich so die Formen einzuprägen.

4 Der **Rhythmus** ist wichtig.
Lernen Sie unregelmäßige Verbformen in einer Reihe, z.B. *geben - gibt - gab - gegeben* oder *laufen - läuft - lief - ist gelaufen.* Pro Verbform ein Zettel* (s. Fußnote). Am besten sprechen Sie die Reihen mit lauter Stimme und im Gehen. (Gedächtnispsychologie)

5 **Spielen** Sie mal beim Lernen, das ist (ent)spannend und abwechslungsreich.

- Spiel 1: Kopieren (und vergrößern) Sie z.B. alle Indikativ-Zeitformen eines Verbs aus der Verbtabelle. Schneiden Sie alle Formen (Spalten und Zeilen) auseinander, bis auf die Spalte der Personalpronomen *(ich/du/er/wir/ihr/sie)*. Mischen Sie die Zettel und versuchen Sie, die Verbformen in den verschiedenen Zeiten und Verbformen zu rekonstruieren.
- Spiel 2: Sie brauchen einen Würfel mit Zahlen bzw. Punkten von 1 bis 6. Jede Zahl steht für ein Personalpronomen: 1 = *ich* / 2 = *du* / 3 = *er, sie, es* / 4 = *wir* / 5 = *ihr* / 6 = *sie, Sie.*

---

* Lernen Sie mit Zetteln: Jede Verbreihe lässt sich so im individuellen Tempo lernen und später wiederholen. Sortieren Sie die Zettel in 2 Kategorien:

Kategorie 1:	*Kann ich schon!*	Kategorie 2:	*Kann ich noch nicht so gut!*
Strategie:	Wiederholung 1–2 Wochen später, dann 1–2 Monate später.	Strategie:	Mehrmalige Wiederholung an 1–5 Tagen hintereinander, dann Strategie Kategorie 1.

Außerdem brauchen Sie Zettel, auf denen jeweils ein Verb notiert ist. Vor Spielbeginn entscheiden Sie, welches Tempus (welcher Modus) gelernt werden soll, z. B. Präsens. Das Spiel funktioniert so: Zettel ziehen (z. B. *vergessen)* und würfeln (z. B. 3) und konjugieren. Lösung: *er vergisst.*

6 Als **autonome Lerner** erstellen Sie Ihr eigenes Lernmaterial und bestimmen Ihre eigenen Lerninhalte und Ihr eigenes Lerntempo.

- Besuchen Sie unsere Web-Seite für Deutschlernende: http://www.hueber.de/elka/goto.php?3-19-007907-2.
  Dort finden Sie eine leere Verbtabellen-Seite, die Sie herunterladen und ausdrucken können. Füllen Sie die Tabellen mit den Verben aus, die Sie oft brauchen, lernen und/oder nachschlagen wollen. Erstellen Sie sich so Ihre individuellen deutschen Verbtabellen!
- Nehmen Sie einen Text (Zeitungsartikel, literarischen Text), der Sie interessiert. Suchen Sie sich einige Verben heraus und analysieren Sie: Welche Funktion hat die verwendete Zeit/der verwendete Modus an der bestimmten Stelle im Text? Benutzen Sie dabei eine Grammatik oder die Grammatikübersicht in diesem Buch.

Benutzerhinweise

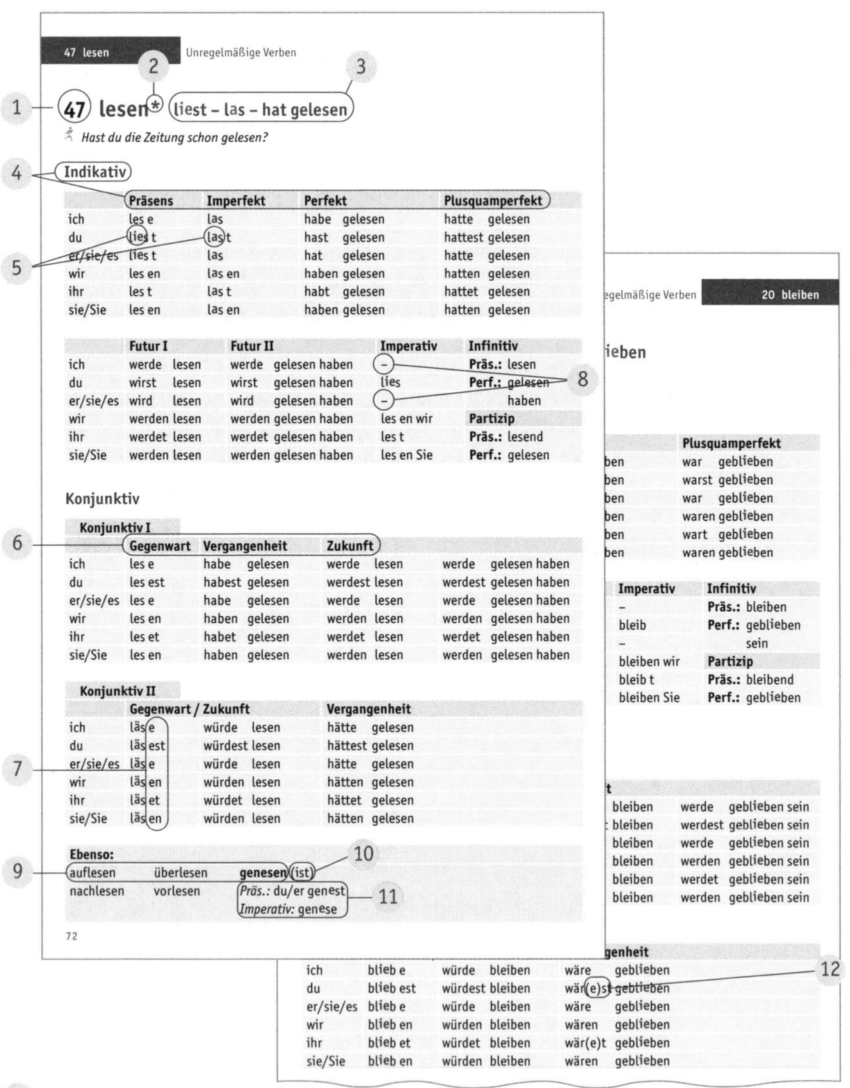

47 lesen Unregelmäßige Verben

47 lesen* (liest – las – hat gelesen)

Hast du die Zeitung schon gelesen?

Indikativ

	Präsens	Imperfekt	Perfekt	Plusquamperfekt
ich	les e	las	habe gelesen	hatte gelesen
du	lies t	las t	hast gelesen	hattest gelesen
er/sie/es	lies t	las	hat gelesen	hatte gelesen
wir	les en	las en	haben gelesen	hatten gelesen
ihr	les t	las t	habt gelesen	hattet gelesen
sie/Sie	les en	las en	haben gelesen	hatten gelesen

	Futur I	Futur II	Imperativ	Infinitiv
ich	werde lesen	werde gelesen haben	–	**Präs.:** lesen
du	wirst lesen	wirst gelesen haben	lies	**Perf.:** gelesen
er/sie/es	wird lesen	wird gelesen haben	–	haben
wir	werden lesen	werden gelesen haben	les en wir	**Partizip**
ihr	werdet lesen	werdet gelesen haben	les t	**Präs.:** lesend
sie/Sie	werden lesen	werden gelesen haben	les en Sie	**Perf.:** gelesen

Konjunktiv

Konjunktiv I

	Gegenwart	Vergangenheit	Zukunft	
ich	les e	habe gelesen	werde lesen	werde gelesen haben
du	les est	habest gelesen	werdest lesen	werdest gelesen haben
er/sie/es	les e	habe gelesen	werde lesen	werde gelesen haben
wir	les en	haben gelesen	werden lesen	werden gelesen haben
ihr	les et	habet gelesen	werdet lesen	werdet gelesen haben
sie/Sie	les en	haben gelesen	werden lesen	werden gelesen haben

Konjunktiv II

	Gegenwart / Zukunft		Vergangenheit
ich	läs e	würde lesen	hätte gelesen
du	läs est	würdest lesen	hättest gelesen
er/sie/es	läs e	würde lesen	hätte gelesen
wir	läs en	würden lesen	hätten gelesen
ihr	läs et	würdet lesen	hättet gelesen
sie/Sie	läs en	würden lesen	hätten gelesen

Ebenso:

auflesen	überlesen	**genesen** (ist)
nachlesen	vorlesen	*Präs.:* du/er genest *Imperativ:* genese

72

egelmäßige Verben 20 bleiben

ieben

	Plusquamperfekt
ben	war geblieben
ben	warst geblieben
ben	war geblieben
ben	waren geblieben
ben	wart geblieben
ben	waren geblieben

Imperativ	Infinitiv
–	**Präs.:** bleiben
bleib	**Perf.:** geblieben sein
–	
bleiben wir	**Partizip**
bleib t	**Präs.:** bleibend
bleiben Sie	**Perf.:** geblieben

t	
bleiben	werde geblieben sein
bleiben	werdest geblieben sein
bleiben	werde geblieben sein
bleiben	werden geblieben sein
bleiben	werdet geblieben sein
bleiben	werden geblieben sein

			genheit	
ich	blieb e	würde bleiben	wäre	geblieben
du	blieb est	würdest bleiben	wär(e)st	geblieben
er/sie/es	blieb e	würde bleiben	wäre	geblieben
wir	blieb en	würden bleiben	wären	geblieben
ihr	blieb et	würdet bleiben	wär(e)t	geblieben
sie/Sie	blieb en	würden bleiben	wären	geblieben

1 Nummerierung

Alle Verbtabellen sind von 1 bis 83 durchnummeriert und nach: **Hilfsverben → Modalverben → regelmäßige Verben → unregelmäßige Verben** geordnet. Innerhalb dieser Gruppen sind die Verbtabellen alphabetisch sortiert. Mithilfe des Registers (ab S. 107) findet man zu jedem Verb die passende Verbtabelle.

2 Sternchen

Verben mit Sternchen gehören zum Wortschatz der Prüfung *Zertifikat Deutsch* (B1).

3 **Formenreihe**
Die wichtigsten Tempusformen zum Lernen oder Nachschlagen: Präsens – Imperfekt – Perfekt (3. Person Singular).

4 **Modus und Tempus**
Alle Modusformen (Indikativ / Konjunktiv / Imperativ) und alle Tempusformen (Präsens / Imperfekt / Perfekt / Plusquamperfekt / Futur) werden berücksichtigt.

5 **Besonderheiten**
Vokalwechsel sind blau markiert.

6 **Zeiten im Konjunktiv**
Im Konjunktiv gibt es nur drei Zeitformen: Gegenwart und Zukunft sowie *eine* Vergangenheitsform.

7 **Endungen**
Die Endungen der einfachen Zeiten sind graphisch sofort erkennbar.

8 **Nicht im Sprachgebrauch**
Strich (–) oder leere Spalte bedeuten: Die Form existiert nicht.
Verbform in Klammern *(dürfend)*: Die Form ist ungebräuchlich.

9 **Verben mit entsprechender Konjugation**
Unter *Ebenso* findet sich eine Auswahl von Verben, die wie in der Verbtabelle konjugiert werden.

10 **Perfektbildung**
Verb + *(ist)* bedeutet: Perfekt wird mit *sein* gebildet.
Verb + *(hat/ist)* bedeutet: Perfekt wird mit *haben* und *sein* gebildet (abhängig von Bedeutung oder Verwendung).

11 **Abweichung**
Nicht alle Verben unter „Ebenso“ passen in allen Formen in die Verbtabelle. Abweichende Formen sind extra aufgeführt. Die Abweichung ist blau markiert.

12 **(e) in Klammern**
(e) in Klammern bedeutet: Das „e“ kann vor allem in der gesprochenen Sprache wegfallen.

Abkürzungen

VT	Verbtabelle(n)
süddt./österr./schweiz.	regionale Varianten: süddeutsch, österreichisch, schweizerisch
Präs.	Präsens
Konj.	Konjunktiv
Imperf.	Imperfekt
Part. Perf./PP	Partizip Perfekt
ugs.	umgangssprachlich
geschr.	geschriebene Sprache

Grammatische Fachbegriffe

Angabe	*Ich komme um 10 Uhr.*
Endung	*ihr kauft / sie kauften / er kaufe*
Ergänzung	*Er schenkt seinem Freund eine Musik-CD.*
Futur I + II	*Sie wird wieder gehen. / Sie wird schon gegangen sein.*
Gegenwart	siehe Präsens
Hilfsverb	*Wir haben gefeiert.* *Er ist nach Hause gefahren.* *Hier wird getanzt.*
Imperativ	*Bringen Sie mir bitte ein Glas Orangensaft.*
Imperfekt / Präteritum	*Um 20 Uhr kam er nach Hause.*
Indikativ	siehe Modus
Infinitiv	*Ich gehe heute tanzen.*
Konjugation	*ich gehe, du gehst, er geht usw.*
Konjunktiv I + II	*Sie hat gesagt, sie könne / könnte nicht mitkommen.*
Modalverb	*Ich will die Prüfung bestehen.*
Modus *Pl.* **Modi**	Indikativ / Konjunktiv / Imperativ
Objekt	siehe Ergänzung
Partizip Perfekt / Partizip II **Partizip Präsens / Partizip I**	*Ich bin nach Wien gefahren.* *Die Kinder kamen singend und tanzend nach Hause.*
Passiv: Vorgangspassiv Zustandspassiv	*Das Haus wird renoviert.* *Das Haus ist renoviert.*
Perfekt	*Sie hat viel gelacht.*
Personalpronomen	*ich / du / er / sie / es / wir / ihr / sie / Sie*
Plusquamperfekt	*Er hatte die Karten bereits gekauft.*
Präsens	*Ich telefoniere mit meiner Freundin.*
reflexives Verb	z. B. *sich kümmern*
Reflexivpronomen	*ich kümmere mich / du ... dich / sich / uns / euch / sich*
regelmäßiges / schwaches Verb	*suchen / reden / handeln* usw.
Subjekt	*Meine Frau kommt gleich.*

Tempus *Pl.* **Tempora**	Präsens, Imperfekt, Perfekt, Plusquamperfekt, Futur
transitives Verb **intransitives Verb**	*Ich hänge die Wäsche auf den Balkon.* *Die Wäsche hängt im Keller.*
trennbares Verb **untrennbares Verb**	*Ich suche ein Geschenk aus.* *Ich besuche meine Eltern.*
unpersönliche Form	*Es regnet.*
unregelmäßiges / **starkes Verb**	*gehen / fahren* usw.
Verbstamm	*lachen: ich lache / gelacht*
Vergangenheit	siehe Imperfekt / Perfekt / Plusquamperfekt
Vokalwechsel	*fahren: du fährst / er fuhr*
Wortakzent / **Betonung**	lang: *telefonieren* kurz: *küssen*
Zeitform / Zeiten	siehe Tempus
Zukunft	siehe Futur

Präsens / Gegenwart

Verwendung

Bei uns in Berlin regnet es.	etwas passiert gerade
Ute arbeitet bei Siemens. Die Erde ist rund.	etwas dauert an oder ist allgemein gültig
Mein Kollege kommt nächsten Montag zurück.	Zukünftiges / Ankündigung (+ Zeitangabe)
Mozart komponiert schon im Alter von sechs Jahren seine ersten Werke.	lebendige Wiedergabe von Vergangenem (historisches Präsens)

Formen

Verbstamm *lach* (+ e) + **Endung**

	lachen	**warten**	**rechnen**
ich	lach **e**	wart e	rechn e
du	lach **st**	wart est	rechn est
er/sie/es	lach **t**	wart et	rechn et
wir	lach **en**	wart en	rechn en
ihr	lach **t**	wart et	rechn et
sie/Sie	lach **en**	wart en	rechn en
		antworten, reden	*atmen, trocknen*

▶ Zusätzliches *e* wegen Aussprache: *du antwortest, du atmest*

▶ In der Umgangssprache häufig keine Endung in der *ich*-Form: *Ich komm gleich.*

Verkürzung bei Verbstamm und/oder Endung

	sammeln	**ändern**	**reisen**
ich	samm**l** e	änd(e)r e	reis e
du	sammel st	änder st	reis **t**
er/sie/es	sammel t	änder t	reis t
wir	sammel **n**	änder **n**	reis en
ihr	sammel t	änder t	reis t
sie/Sie	sammel **n**	änder **n**	reis en
	entwickeln, handeln	*erinnern, verbessern*	*faxen, heißen, schützen*

▶ Verkürzung wegen Aussprache bzw. Schreibung: *ich sammle / wir ändern / du reist*

▶ In der Umgangssprache oft ohne Endung: *ich sammel, ich änder*

Verbstamm (+ **Vokalwechsel** bzw. **Umlaut**) + Endung

	sprechen	**lesen**	**schlafen**	**laufen**
ich	sprech e	les e	schlaf e	lauf e
du	**sprich** st	**lies** t	**schläf** st	**läuf** st
er/sie/es	**sprich** t	**lies** t	**schläf** t	**läuf** t
	geben, helfen	*sehen*	*tragen, stoßen*	*saufen*

▶ Bei bestimmten unregelmäßigen Verben ändert sich in der *du-* und *er/sie/es*-Form der Stammvokal: *sprechen → du sprichst – er spricht*

▶ Die Hilfsverben ***haben, sein, werden*** sowie die Modalverben ***dürfen, können, müssen, mögen, sollen, wollen*** und das Verb ***wissen*** haben besondere Formen im Präsens. → VT 1–9, 79.

Imperfekt / Präteritum / Vergangenheit

Verwendung

Es war spätabends, als K. ankam. Das Dorf lag in tiefem Schnee. (Kafka)	typisches Erzähltempus in der literarischen Sprache
Am 9.11.1989 fiel die Berliner Mauer.	Wiedergabe von historischen Ereignissen
Die Kirche wurde 1410 erbaut.	bei Vorträgen und Führungen
Gestern war ich im Kino. Es gab den neuen James Bond.	bei Hilfsverben/Modalverben/ Verben wie *geben, heißen* u.a.
Starker Schneefall führte zu zahlreichen Unfällen auf den Straßen.	Nachrichtensprache
Wie war Ihr Name?	höfliche Nachfrage

Formen

Verbstamm (+ e) + **Endung**

	lachen	**warten**	**rechnen**
ich	lach **te**	wart ete	rechn ete
du	lach **test**	wart etest	rechn etest
er/sie/es	lach **te**	wart ete	rechn ete
wir	lach **ten**	wart eten	rechn eten
ihr	lach **tet**	wart etet	rechn etet
sie/Sie	lach **ten**	wart eten	rechn eten
	sammeln, ändern	*antworten, reden*	*atmen, trocknen*

▶ Zusätzliches *e* wegen Aussprache: *er arbeitete, er atmete*

Verbstamm + **Vokalwechsel + Endung**

	kennen	**bringen**
ich	kann **te**	brach te
du	kann **test**	brach test
er/sie/es	kann **te**	brach te
wir	kann **ten**	brach ten
ihr	kann **tet**	brach tet
sie/Sie	kann **ten**	brach ten

▶ Die **gemischte Konjugation** gilt für bestimmte unregelmäßige Verben: → VT 22, 40, 62

Verbstamm + **Vokalwechsel** (+ e) + **Endung**

	geben	**bitten**	**sitzen**
ich	gab	bat	saß
du	gab **st**	bat st	saß t
er/sie/es	gab	bat	saß
wir	gab **en**	bat en	saß en
ihr	gab **t**	bat et	saß t
sie/Sie	gab **en**	bat en	saß en

▶ Diese Konjugation gilt für alle **unregelmäßigen Verben** → ab VT 15

▶ **Hilfs- und** Modalverben → VT 1–9

Perfekt / Vergangenheit

Verwendung

Ich habe mir gestern eine neue Jacke gekauft.	Vergangenes in der gesprochenen Sprache
In zwei Tagen sind alle Gäste wieder abgereist.	Abgeschlossenes in der Zukunft (+ Zeitangabe)
Uwe hat angerufen. Er kommt später.	Vorzeitigkeit gegenüber dem Präsens

Formen

Hilfsverben

hat/ist + Partizip Perfekt

	lachen	**kommen**
ich	habe **gelacht**	bin **gekommen**
du	hast **gelacht**	bist **gekommen**
er/sie/es	hat **gelacht**	ist **gekommen**
wir	haben **gelacht**	sind **gekommen**
ihr	habt **gelacht**	seid **gekommen**
sie/Sie	haben **gelacht**	sind **gekommen**

▶ Die meisten Verben bilden das Perfekt mit *haben*.

▶ Perfekt mit *sein* bilden:
- Verben der Ortsveränderung wie *kommen, gehen, fahren, begegnen, reisen* u. a.
- Verben der Zustandsveränderung wie *aufwachen, einschlafen, verblühen, vergehen* u. a.
- Verben wie *sein, bleiben, werden, passieren, geschehen* u. a.

▶ **Aber**: Perfekt mit *haben* bei den Verben der Ortsveränderung + Akkusativ.
Er hat das Auto in die Werkstatt gefahren.

▶ *Ich habe hier gesessen/gestanden/gelegen.* → *südd./österr./schweiz. Ich bin …*

Partizip Perfekt → S. 24

(ge) + Verbstamm + (e)t

	regelmäßig			
	kaufen	**sammeln**	**ändern**	**warten**
	gekauft	**gesammelt**	**geändert**	**gewartet**
trennbar	**eingekauft**	**eingesammelt**	**umgeändert**	**abgewartet**
untrennbar	**verkauft**	**versammelt**	**verändert**	**erwartet**

▶ Partizip ohne ***ge*** bei allen Verben, die *nicht* auf der ersten Silbe betont werden:

Untrennbare Verben	Verben auf *-ieren*	Bestimmte Verben → VT 83
verkaufen → verkauft	*fotografieren → fotografiert*	*offenbaren → offenbart*

(ge) + Verbstamm (+ **Vokalwechsel**) + en (t)

	unregelmäßig		**gemischt**
	schlafen	**finden**	**kennen**
	geschlafen	**gefunden**	**gekannt**
trennbar	**eingeschlafen**	**vorgefunden**	**ausgekannt**
untrennbar	**verschlafen**	**erfunden**	**erkannt**

▶ **Aber**: *tun → getan* *essen → gegessen*

Plusquamperfekt / Vorvergangenheit

Verwendung

Als sie am Bahnhof ankamen, war der Zug bereits abgefahren.	Tempus der Vorzeitigkeit gegenüber dem Imperfekt und Perfekt

Formen

Hilfsverben

hatte/war + Partizip Perfekt

	lachen	**fahren**
ich	hatte **gelacht**	war **gefahren**
du	hattest **gelacht**	warst **gefahren**
er/sie/es	hatte **gelacht**	war **gefahren**
wir	hatten **gelacht**	waren **gefahren**
ihr	hattet **gelacht**	wart **gefahren**
sie/Sie	hatten **gelacht**	waren **gefahren**

▶ Siehe Regeln für **Hilfsverben** *haben/sein* → S. 14.

Partizip Perfekt

▶ Siehe Regeln → S. 14, 24.

Futur I + II / Zukunft

Verwendung

Futur I	Futur II *(Abgeschlossenes in der Zukunft)*	
Wir werden uns mit Ihnen in Verbindung setzen.	*Nächste Woche werden alle Gäste wieder abgereist sein.*	Zukünftiges / Ankündigung
Die Arbeitslosenzahlen werden im Frühjahr wieder sinken.	*Das wirst du bald wieder vergessen haben.*	Tempus der Vorausschau und der Prognose
Er wird sicher gleich kommen.	*Es wird doch hoffentlich nichts passiert sein!*	Vermutung, Erwartung Befürchtung, Hoffnung
Ihr werdet euch sofort entschuldigen!		Aufforderung im Befehlston, Drohung

Formen

	werden + Infinitiv Präsens		*werden* + Infinitiv Perfekt	
	Futur I		**Futur II**	
ich	werde	ausschlafen	werde	vergessen haben
du	wirst	ausschlafen	wirst	vergessen haben
er/sie/es	wird	ausschlafen	wird	vergessen haben
wir	werden	ausschlafen	werden	vergessen haben
ihr	werdet	ausschlafen	werdet	vergessen haben
sie/Sie	werden	ausschlafen	werden	vergessen haben

▶ **Infinitiv Perfekt** wird gebildet mit Partizip Perfekt + *haben / sein*:
lachen → *gelacht haben* *gehen* → *gegangen sein*

▶ Siehe Regeln für **Hilfsverben** *haben/sein* → S. 14.

▶ Siehe Regeln für **Partizip Perfekt** → S. 14, 24.

Konjunktiv I – Gegenwart / Vergangenheit / Zukunft

Verwendung

Man sagt, Chinesisch sei eine schwere Sprache. *Der Politiker behauptete, er habe alles versucht.* *Man hofft, sie werde die Wahl gewinnen.*	indirekte Rede in der Gegenwart in der Vergangenheit in der Zukunft
Möge dein Wunsch in Erfüllung gehen! *Er lebe hoch!*	formelhafter Ausdruck eines Wunsches, z. B. zum Geburtstag
Er ruhe in Frieden! / Gott schütze dich!	Ausdruck eines Wunsches im religiösen Kontext

Formen

Gegenwart

Verbstamm + **Endung**

	lachen	**ändern**	**lesen**
ich	lach **e**	änder **e**	les **e**
du	lach **est**	änder **est**	les **est**
er/sie/es	lach **e**	änder **e**	les **e**
wir	lach **en**	änder **en**	les **en**
ihr	lach **et**	änder **et**	les **et**
sie/Sie	lach **en**	änder **en**	les **en**
	warten, rechnen	*erinnern, verhindern*	*sprechen, schlafen*

- ▶ Konjunktiv I nennt man auch Konjunktiv Präsens
- ▶ Verbstamm Indikativ Präsens = Verbstamm Konjunktiv I: *lachen → er lache*
- ▶ Verben mit Vokalwechsel wie *lesen* (*er **liest***) sind im Konjunktiv regelmäßig: *lesen → er lese*
- ▶ Bei Verben wie *handeln* kann das *e* im Verbstamm wegfallen:
  *ich han**dl**e / du han**dl**est / er han**dl**e / wir han**dl**en / ihr han**dl**et / sie han**dl**en*
- ▶ In der indirekten Rede kann Konjunktiv I durch Konjunktiv II → S. 18 oder die *würde*-Form ersetzt werden, vor allem wenn Konjunktiv I und Indikativ identisch sind: *ich komme → ich käme / ich würde kommen*

Vergangenheit und Zukunft

habe/sei + Partizip Perfekt / *werde* + Infinitiv Präsens/Perfekt

	Vergangenheit		**Zukunft**
	lachen	**kommen**	**ändern**
ich	habe **gelacht**	sei **gekommen**	werde **ändern/geändert haben**
du	habest **gelacht**	sei(e)st **gekommen**	werdest **ändern/geändert haben**
er/sie/es	habe **gelacht**	sei **gekommen**	werde **ändern/geändert haben**
wir	haben **gelacht**	seien **gekommen**	werden **ändern/geändert haben**
ihr	habet **gelacht**	seiet **gekommen**	werdet **ändern/geändert haben**
sie/Sie	haben **gelacht**	seien **gekommen**	werden **ändern/geändert haben**

- ▶ In der indirekten Rede kann Konjunktiv I durch Konjunktiv II ersetzt werden, vor allem wenn Konjunktiv I und Indikativ identisch sind:
  ich habe gelacht → ich hätte gelacht *er sei gekommen → er wäre gekommen*

Konjunktiv II – Gegenwart / Vergangenheit

Verwendung

Ich wäre gern blond. *Fast hätte er das Spiel gewonnen.*	irreale Wünsche und Aussagen in der Gegenwart und Vergangenheit
Wenn Opa noch leben würde, wäre er jetzt 100. *Wärst du gekommen, hättest du ihn gesehen.*	irreale Bedingungen in der Gegenwart und Vergangenheit
Könnten Sie mir bitte sagen, wie spät es ist?	höfliche Bitte in Form einer Frage
Es sieht aus, als ob es gleich regnen würde! *Er tut so, als hätte er die große Karriere gemacht!*	irreale Vergleiche in der Gegenwart und Vergangenheit
Man sagt, Chinesisch wäre eine schwere Sprache. *Eva behauptet, sie hätte in der Prüfung alles gewusst.*	indirekte Rede in der Gegenwart und Vergangenheit

Formen

Gegenwart

Verbstamm (+ e) + **Endung** / *würde* + Infinitiv

	lachen	*oder:*	**warten**	**kennen**
ich	lach **te**	würde lachen	wart ete	kenn te
du	lach **test**	würdest lachen	wart etest	kenn test
er/sie/es	lach **te**	würde lachen	wart ete	kenn te
wir	lach **ten**	würden lachen	wart eten	kenn ten
ihr	lach **tet**	würdet lachen	wart etet	kenn tet
sie/Sie	lach **ten**	würden lachen	wart eten	kenn ten
	sammeln, ändern		*reden, rechnen, atmen*	

- Konjunktiv II nennt man auch Konjunktiv Imperfekt.
- Neben den Konjunktiv II-Formen gibt es auch die *würde*-Form.
- Verbstamm Indikativ Imperfekt = Verbstamm Konjunktiv II: *sie lachten* → *sie lachten*
- Der Konjunktiv II der gemischten Verben → VT 22, 40, 62 wird vom Infinitiv-Verbstamm gebildet: *kennen* → *ich kennte*
- **Aber**: *brauchen* mit Umlaut: *ich bräuchte*

Verbstamm (+ **Umlaut**) + **Endung**

	gehen	**kommen**
ich	ging **e**	käm e
du	ging **est**	käm est
er/sie/es	ging **e**	käm e
wir	ging **en**	käm en
ihr	ging **et**	käm et
sie/Sie	ging **en**	käm en

- Die Stammvokale *a/o/u* im Imperfekt werden zu den Umlauten *ä/ö/ü*.
  er kam → *er käme*   *er verlor* → *er verlöre*   *er fuhr* → *er führe*
- Diese Konjugation gilt für fast alle unregelmäßigen Verben. Sie können durch die *würde*-Form ersetzt werden.
- In der Umgangssprache häufig kein ***e*** in der Endung: *ich käm – du kämst – er käm – ihr kämt*
- Hilfs- und Modalverben → VT 1–9

Vergangenheit

hätte/wäre + Partizip Perfekt

	Vergangenheit			
	kennen		**kommen**	
ich	hätte	gekannt	wäre	gekommen
du	hättest	gekannt	wär(e)st	gekommen
er/sie/es	hätte	gekannt	wäre	gekommen
wir	hätten	gekannt	wären	gekommen
ihr	hättet	gekannt	wär(e)t	gekommen
sie/Sie	hätten	gekannt	wären	gekommen

▶ Siehe Regeln für **Hilfsverben** *haben/sein* → S. 14.

▶ Siehe Regeln für **Partizip Perfekt** → S. 14, 24.

Imperativ

Verwendung

Komm mal bitte her! *Schlaft jetzt endlich!*	Bitte, Aufforderung, Befehl
Gehen wir! *Lasst uns nach Hause gehen!*	Vorschlag

Formen

Verbstamm (+ e) + Endung

	gehen	warten	rechnen	entschuldigen
(du)	geh	wart **e**	rechn **e**	entschuldig **e**
	geh **en** wir	wart en wir	rechn en wir	entschuldig en wir
(ihr)	geh **t**	wart **et**	rechn **et**	entschuldig **t**
	geh **en** Sie	wart en Sie	rechn en Sie	entschuldig en Sie
		reden	*atmen*	*verwirklichen*

▶ In der Umgangssprache in der *du*-Form häufig kein Endungs-*e* bei Verben wie *warten, reden, entschuldigen*: *Wart mal! / Red langsamer! / Entschuldig dich!*

▶ Verben wie *schlafen* und *laufen* (Präsens mit Umlaut: *du schläfst / läufst*) sind im Imperativ regelmäßig: *Schlaf endlich! / Lauf schneller!*

▶ Auch die Hilfsverben *haben* und *werden* (Präsens: *du hast / wirst*) sind im Imperativ regelmäßig: *Hab Geduld! / Werd(e) endlich erwachsen!*

▶ Das Hilfsverb *sein* hat eine besondere Form im Imperativ: *Sei still!*

Verkürzung

	sammeln	ändern
(du)	samm**l** e	ändere
	sammel n wir	änder **n** wir
(ihr)	sammel t	ändert
	sammel n Sie	änder **n** Sie

▶ In der Umgangssprache in der *du*-Form meist: *sammel, änder*

Vokalwechsel

	sprechen	lesen	nehmen
(du)	sprich	lies	nimm
	sprech en wir	les en wir	nehm en wir
(ihr)	sprech t	les t	nehm t
	sprech en Sie	les en Sie	nehm en Sie

▶ In der Umgangssprache bei manchen Verben häufig kein Vokalwechsel:
Lies ...! → Les doch mal ein Buch! *Empfiehl ...! → Empfehl mir mal einen guten Wein!*

Vorgangspassiv – Gegenwart / Vergangenheit / Zukunft

Verwendung

Das Buch wird Ende des Jahres veröffentlicht.	Vorgang
Jetzt wird geschlafen!	Aufforderung, Befehl

Formen

werden + Partizip Perfekt

Indikativ

	Präsens	Imperfekt	Perfekt	Plusquamperfekt
ich	werde geholt	wurde geholt	bin geholt worden	war geholt worden
du	wirst geholt	wurdest geholt	bist geholt worden	warst geholt worden
er/sie/es	wird geholt	wurde geholt	ist geholt worden	war geholt worden
wir	werden geholt	wurden geholt	sind geholt worden	waren geholt worden
ihr	werdet geholt	wurdet geholt	seid geholt worden	wart geholt worden
sie/Sie	werden geholt	wurden geholt	sind geholt worden	waren geholt worden

	Futur I	Futur II	Infinitiv
ich	werde geholt werden	werde geholt worden sein	**Präs.**: geholt werden
du	wirst geholt werden	wirst geholt worden sein	
er/sie/es	wird geholt werden	wird geholt worden sein	
wir	werden geholt werden	werden geholt worden sein	**Perf.**: geholt worden
ihr	werdet geholt werden	werdet geholt worden sein	sein
sie/Sie	werden geholt werden	werden geholt worden sein	

Konjunktiv

Konjunktiv I

	Gegenwart	Vergangenheit	Zukunft: Futur I	Futur II
ich	werde geholt	sei geholt worden	werde geholt werden	
du	werdest geholt	sei(e)st geholt worden	werdest geholt werden	werde (...)
er/sie/es	werde geholt	sei geholt worden	werde geholt werden	geholt
wir	werden geholt	seien geholt worden	werden geholt werden	worden
ihr	werdet geholt	seiet geholt worden	werdet geholt werden	sein
sie/Sie	werden geholt	seien geholt worden	werden geholt werden	

Konjunktiv II

	Gegenwart/Zukunft		Vergangenheit
ich	würde geholt	würde geholt werden	wäre geholt worden
du	würdest geholt	würdest geholt werden	wär(e)st geholt worden
er/sie/es	würde geholt	würde geholt werden	wäre geholt worden
wir	würden geholt	würden geholt werden	wären geholt worden
ihr	würdet geholt	würdet geholt werden	wär(e)t geholt worden
sie/sie	würden geholt	würden geholt werden	wären geholt worden

Zustandspassiv – Gegenwart / Vergangenheit / Zukunft

Verwendung

Die Straße ist gesperrt. *Alle Geschäfte sind heute geschlossen.*	Zustand / Situation

Formen

sein + Partizip Perfekt

Indikativ

	Präsens	Imperfekt	Perfekt	Plusquamperfekt
ich	bin gefragt	war gefragt	bin gefragt gewesen	war gefragt gewesen
du	bist gefragt	warst gefragt	bist gefragt gewesen	warst gefragt gewesen
er/sie/es	ist gefragt	war gefragt	ist gefragt gewesen	war gefragt gewesen
wir	sind gefragt	waren gefragt	sind gefragt gewesen	waren gefragt gewesen
ihr	seid gefragt	wart gefragt	seid gefragt gewesen	wart gefragt gewesen
sie/Sie	sind gefragt	waren gefragt	sind gefragt gewesen	waren gefragt gewesen

	Futur I	Futur II	Infinitiv
ich	werde gefragt sein	werde gefragt gewesen sein	**Präs.:** gefragt sein
du	wirst gefragt sein	wirst gefragt gewesen sein	
er/sie/es	wird gefragt sein	wird gefragt gewesen sein	
wir	werden gefragt sein	werden gefragt gewesen sein	**Perf.:** gefragt gewesen sein
ihr	werdet gefragt sein	werdet gefragt gewesen sein	
sie/Sie	werden gefragt sein	werden gefragt gewesen sein	

Konjunktiv

Konjunktiv I

	Gegenwart	Vergangenheit	Zukunft: Futur I	Futur II
ich	sei gefragt	sei gefragt gewesen	werde gefragt sein	
du	sei(e)st gefragt	sei(e)st gefragt gewesen	werdest gefragt sein	werde (...)
er/sie/es	sei gefragt	sei gefragt gewesen	werde gefragt sein	gefragt
wir	seien gefragt	seien gefragt gewesen	werden gefragt sein	gewesen
ihr	seiet gefragt	seiet gefragt gewesen	werdet gefragt sein	sein
sie/Sie	seien gefragt	seien gefragt gewesen	werden gefragt sein	

Konjunktiv II

	Gegenwart/Zukunft		Vergangenheit
ich	wäre gefragt	–	wäre gefragt gewesen
du	wär(e)st gefragt	–	wär(e)st gefragt gewesen
er/sie/es	wäre gefragt	–	wäre gefragt gewesen
wir	wären gefragt	–	wären gefragt gewesen
ihr	wär(e)t gefragt	–	wär(e)t gefragt gewesen
sie/sie	wären gefragt	–	wären gefragt gewesen

Reflexive Verben

Verwendung

Wir haben uns gut unterhalten.	Reflexivpronomen im Akkusativ
Wasch dich erst mal!	
Hast du dir schon die Hände gewaschen?	Reflexivpronomen im Dativ, wenn Verb + *Akk*
Ich hole mir jetzt eine Pizza.	

Formen

Reflexivpronomen im Akkusativ sich [A]

	Präsens	Perfekt	Futur
ich	freue mich	habe mich gefreut	werde mich freuen
du	freust dich	hast dich gefreut	wirst dich freuen
er/sie/es	freut sich	hat sich gefreut	wird sich freuen
wir	freuen uns	haben uns gefreut	werden uns freuen
ihr	freut euch	habt euch gefreut	werdet euch freuen
sie/Sie	freuen sich	haben sich gefreut	werden sich freuen

Reflexivpronomen im Dativ sich [D]

	Präsens	Perfekt	Futur
ich	überlege es mir	habe es mir überlegt	werde es mir überlegen
du	überlegst es dir	hast es dir überlegt	wirst es dir überlegen
er/sie/es	überlegt es sich	hat es sich überlegt	wird es sich überlegen
wir	überlegen es uns	haben es uns überlegt	werden es uns überlegen
ihr	überlegt es euch	habt es euch überlegt	werdet es euch überlegen
sie/Sie	überlegen es sich	haben es sich überlegt	werden es sich überlegen

▶ Wenn das Verb eine Akkusativ-Ergänzung hat, muss das Reflexivpronomen im Dativ stehen.
Ich leihe mir kurz dein Fahrrad.

Trennbare und untrennbare Verben

Trennbare Verben

a	aufmachen	Partizip **mit** ge	
	Präsens	**Perfekt**	**Futur**
ich	mache auf	habe auf**ge**macht	werde aufmachen
du	machst auf	hast auf**ge**macht	wirst aufmachen
er/sie/es	macht auf	hat auf**ge**macht	wird aufmachen
wir	machen auf	haben auf**ge**macht	werden aufmachen
ihr	macht auf	habt auf**ge**macht	werdet aufmachen
sie/Sie	machen auf	haben auf**ge**macht	werden aufmachen

▶ Der Wortakzent liegt auf der trennbaren Vorsilbe: *aufmachen* → *aufgemacht*

▶ Verben mit folgenden Vorsilben sind trennbar:

ab-	gegen-	herunter- / runter-	**mit-**	vorbei-
an-	heim-	hervor-	**nach-**	vorher-
auf-	**her-**	**hin-**	nieder-	vorüber-
aus-	herab-	hinab-	statt-	**weg-**
bei-	(he)ran-	hinauf-	teil-	**weiter-**
dar-	(he)rauf-	hinaus-	überein-	**zu-**
ein-	(he)raus-	hindurch-	umher-	zurecht-
entgegen-	herbei-	hinein-	umhin-	**zurück-**
entlang-	(he)rein-	hinunter-	**vor-**	**zusammen-**
fehl-	herüber- / rüber-	hinweg-	voran-	zuvor-
fort-	herum- / rum-	hinzu-	voraus-	zuwider

▶ Verben mit folgenden Vorsilben sind trennbar und können zusammen und/oder getrennt geschrieben werden. Siehe Wörterbuch mit aktueller Rechtschreibung!

aneinander-	d(a)ran-d(a)rauf-	fest-	hinterher-	offen-
aufeinander-	d(a)raus-	frei-	hinüber-	quer-
auseinander-	davon-	gegeneinander-	hoch-	tot-
dabei-	dazu-	gegenüber-	ineinander-	übereinander-
dahin-	dazwischen-	gleich-	los-	untereinander-
daneben-	durcheinander-	hintereinander-	nahe-	voneinander-

▶ Partizip ***ge*** vor dem Verbstamm auch bei mehreren trennbaren Vorsilben:
auf|bauen → *wieder|auf|bauen* → *wiederauf**ge**baut*

b	abbestellen	Partizip **ohne** ge	
	Präsens	**Perfekt**	**Futur**
ich	bestelle ab	habe abbestellt	werde abbestellen
du	bestellst ab	hast abbestellt	wirst abbestellen
er/sie/es	bestellt ab	hat abbestellt	wird abbestellen
wir	bestellen ab	haben abbestellt	werden abbestellen
ihr	bestellt ab	habt abbestellt	werdet abbestellen
sie/Sie	bestellen ab	haben abbestellt	werden abbestellen

▶ Der Wortakzent liegt auf der trennbaren Vorsilbe: *einbezahlen* → *einbezahlt*

▶ Partizip auch ohne ***ge***, wenn vor der untrennbaren Vorsilbe eine trennbare Vorsilbe steht:
*ab|**be**|stellen* → *ab|**be**|stellt*   *an|**er**|kennen* → *an|**er**|kannt*

Untrennbare Verben

c	erfahren	Partizip **ohne** ge	
	Präsens	**Perfekt**	**Futur**
ich	erfahre	habe erfahren	werde erfahren
du	erfährst	hast erfahren	wirst erfahren
er/sie/es	erfährt	hat erfahren	wird erfahren
wir	erfahren	haben erfahren	werden erfahren
ihr	erfahrt	habt erfahren	werdet erfahren
sie/Sie	erfahren	haben erfahren	werden erfahren

▶ Der Wortakzent liegt *nicht* auf der untrennbaren Vorsilbe:
bezahlen → bezahlt / widersprechen → widersprochen / verabscheut → verabscheute

▶ Verben mit folgenden Vorsilben sind untrennbar:
be- / ent- / emp- / er- / ge- / hinter- / miss- / ver- / zer-

▶ Partizip auch ohne ***ge***, wenn eine untrennbare Vorsilbe vor einer trennbaren Vorsilbe steht:
be|ein|flussen → be|ein|flusst *ver|an|schaulichen → ver|an|schaulicht*

Trennbares und/oder untrennbares Verb

Zieh dir eine Jacke über! *Ich habe mir die Jacke schon über**ge**zogen.*	**trennbar:**	Wortakzent: *überziehen* Partizip mit ***ge***
Überzieh nicht schon wieder dein Konto. *Ich habe das Konto nicht überzogen.*	**untrennbar:**	Wortakzent: *überziehen* Partizip ohne ***ge***

▶ Die Bedeutung des Verbs bestimmt die Position des Wortakzents: *überziehen / überziehen*

▶ Verben mit folgenden Vorsilben können trennbar oder untrennbar sein:
durch- / über- / um- / unter- / voll- / wider- / wieder-

▶ Für trennbare Verben mit den Vorsilben *voll- / wider- / wieder-* gilt Zusammen- und/oder Getrenntschreibung. Siehe Wörterbuch mit aktueller Rechtschreibung!

da wie a	überziehen	Partizip **mit** ge	
	Präsens	**Perfekt**	**Futur**
ich	ziehe über	habe über**ge**zogen	werde überziehen
du	ziehst über	hast über**ge**zogen	wirst überziehen
er/sie/es	zieht über	hat über**ge**zogen	wird überziehen
wir	ziehen über	haben über**ge**zogen	werden überziehen
ihr	zieht über	habt über**ge**zogen	werdet überziehen
sie/Sie	ziehen über	haben über**ge**zogen	werden überziehen

dc wie c	überziehen	Partizip **ohne** ge	
	Präsens	**Perfekt**	**Futur**
ich	überziehe	habe überzogen	werde überziehen
du	überziehst	hast überzogen	wirst überziehen
er/sie/es	überzieht	hat überzogen	wird überziehen
wir	überziehen	haben überzogen	werden überziehen
ihr	überzieht	habt überzogen	werdet überziehen
sie/Sie	überziehen	haben überzogen	werden überziehen

1 haben* hat – hatte – hat gehabt

Hast du Geschwister?

Indikativ

	Präsens	Imperfekt	Perfekt	Plusquamperfekt
ich	hab e	hat te	habe gehabt	hatte gehabt
du	ha st	hat test	hast gehabt	hattest gehabt
er/sie/es	ha t	hat te	hat gehabt	hatte gehabt
wir	hab en	hat ten	haben gehabt	haben gehabt
ihr	hab t	hat tet	habt gehabt	hattet gehabt
sie/Sie	hab en	hat ten	haben gehabt	hatten gehabt

	Futur I	Futur II	Imperativ	Infinitiv
ich	werde haben	werde gehabt haben	–	**Präs.:** haben
du	wirst haben	wirst gehabt haben	hab	**Perf.:** gehabt
er/sie/es	wird haben	wird gehabt haben	–	haben
wir	werden haben	werden gehabt haben	hab en wir	**Partizip**
ihr	werdet haben	werdet gehabt haben	hab t	**Präs.:** –
sie/Sie	werden haben	werden gehabt haben	hab en Sie	**Perf.:** gehabt

Konjunktiv

Konjunktiv I

	Gegenwart	Vergangenheit	Zukunft	
ich	hab e	habe gehabt	werde haben	werde gehabt haben
du	hab est	habest gehabt	werdest haben	werdest gehabt haben
er/sie/es	hab e	habe gehabt	werde haben	werde gehabt haben
wir	hab en	haben gehabt	werden haben	werden gehabt haben
ihr	hab et	habet gehabt	werdet haben	werdet gehabt haben
sie/Sie	hab en	haben gehabt	werden haben	werden gehabt haben

Konjunktiv II

	Gegenwart / Zukunft		Vergangenheit
ich	hätt e	–	hätte gehabt
du	hätt est	–	hättest gehabt
er/sie/es	hätt e	–	hätte gehabt
wir	hätt en	–	hätten gehabt
ihr	hätt et	–	hättet gehabt
sie/Sie	hätt en	–	hätten gehabt

2 sein* ist – war – ist gewesen

Wie alt bist du?

Indikativ

	Präsens	Imperfekt	Perfekt	Plusquamperfekt
ich	bin	war	bin gewesen	war gewesen
du	bist	war st	bist gewesen	warst gewesen
er/sie/es	ist	war	ist gewesen	war gewesen
wir	sind	war en	sind gewesen	waren gewesen
ihr	seid	war t	seid gewesen	wart gewesen
sie/Sie	sind	war en	sind gewesen	waren gewesen

	Futur I	Futur II	Imperativ	Infinitiv
ich	werde sein	werde gewesen sein	–	**Präs.:** sein
du	wirst sein	wirst gewesen sein	sei	**Perf.:** gewesen sein
er/sie/es	wird sein	wird gewesen sein	–	
wir	werden sein	werden gewesen sein	sei en wir	**Partizip**
ihr	werdet sein	werdet gewesen sein	sei d	**Präs.:** –
sie/Sie	werden sein	werden gewesen sein	sei en Sie	**Perf.:** gewesen

Konjunktiv

Konjunktiv I

	Gegenwart	Vergangenheit	Zukunft	
ich	sei	sei gewesen	werde sein	werde gewesen sein
du	sei (e)st	sei(e)st gewesen	werdest sein	werdest gewesen sein
er/sie/es	sei	sei gewesen	werde sein	werde gewesen sein
wir	sei en	seien gewesen	werden sein	werden gewesen sein
ihr	sei et	seiet gewesen	werdet sein	werdet gewesen sein
sie/Sie	sei en	seien gewesen	werden sein	werden gewesen sein

Konjunktiv II

	Gegenwart / Zukunft		Vergangenheit
ich	wär e	–	wäre gewesen
du	wär (e)st	–	wärest gewesen
er/sie/es	wär e	–	wäre gewesen
wir	wär en	–	wären gewesen
ihr	wär (e)t	–	wäret gewesen
sie/Sie	wär en	–	wären gewesen

3 werden* wird – wurde – ist geworden/worden

Das Auto ist repariert worden. / Unser Chef ist krank geworden. (Vollverb)

Indikativ

	Präsens	Imperfekt	Perfekt	Plusquamperfekt
ich	werd e	wurd e	bin worden/geworden	war worden/geworden
du	wir st	wurd est	bist worden/geworden	warst worden/geworden
er/sie/es	wird	wurd e	ist worden/geworden	war worden/geworden
wir	werd en	wurd en	sind worden/geworden	waren worden/geworden
ihr	werd et	wurd et	seid worden/geworden	wart worden/geworden
sie/Sie	werd en	wurd en	sind worden/geworden	waren worden/geworden

	Futur I	Futur II	Imperativ	Infinitiv
ich	–	–	–	**Präs.:** werden
du	–	–	werd e	**Perf.:** worden /
er/sie/es	–	–	–	geworden sein
wir	–	–	werd en wir	**Partizip**
ihr	–	–	werd et	**Präs.:** werdend
sie/Sie	–	–	werd en Sie	**Perf.:** worden/ geworden

Konjunktiv

Konjunktiv I

	Gegenwart	Vergangenheit	Zukunft	
ich	werd e	sei worden/geworden	–	–
du	werd est	sei(e)st worden/geworden	–	–
er/sie/es	werd e	sei worden/geworden	–	–
wir	werd en	seien worden/geworden	–	–
ihr	werd et	seiet worden/geworden	–	–
sie/Sie	werd en	seien worden/geworden	–	–

Konjunktiv II

	Gegenwart / Zukunft		Vergangenheit
ich	würd e	würde werden	wäre worden/geworden
du	würd est	würdest werden	wär(e)st worden/geworden
er/sie/es	würd e	würde werden	wäre worden/geworden
wir	würd en	würden werden	wären worden/geworden
ihr	würd et	würdet werden	wär(e)t worden/geworden
sie/Sie	würd en	würden werden	wären worden/geworden

4 dürfen* darf – durfte – hat dürfen/gedurft

Darf man hier rauchen? / Das habe ich auch nie gedurft.

Indikativ

	Präsens	Imperfekt	Perfekt	Plusquamperfekt
ich	darf	durf te	habe dürfen/gedurft	hatte dürfen/gedurft
du	darf st	durf test	hast dürfen/gedurft	hattest dürfen/gedurft
er/sie/es	darf	durf te	hat dürfen/gedurft	hatte dürfen/gedurft
wir	dürf en	durf ten	haben dürfen/gedurft	hatten dürfen/gedurft
ihr	dürf t	durf tet	habt dürfen/gedurft	hattet dürfen/gedurft
sie/Sie	dürf en	durf ten	haben dürfen/gedurft	hatten dürfen/gedurft

	Futur I		Imperativ	Infinitiv
ich	werde dürfen	–	–	**Präs.:** dürfen
du	wirst dürfen	–	–	**Perf.:** gedurft haben
er/sie/es	wird dürfen	–	–	**Partizip**
wir	werden dürfen	–	–	**Präs.:** (dürfend)
ihr	werdet dürfen	–	–	**Perf.:** dürfen
sie/Sie	werden dürfen	–	–	gedurft

Konjunktiv

Konjunktiv I

	Gegenwart	Vergangenheit	Zukunft	
ich	dürf e	habe dürfen/gedurft	werde dürfen	–
du	dürf est	habest dürfen/gedurft	werdest dürfen	–
er/sie/es	dürf e	habe dürfen/gedurft	werde dürfen	–
wir	dürf en	haben dürfen/gedurft	werden dürfen	–
ihr	dürf et	habet dürfen/gedurft	werdet dürfen	–
sie/Sie	dürf en	haben dürfen/gedurft	werden dürfen	–

Konjunktiv II

	Gegenwart / Zukunft		Vergangenheit
ich	dürf te	–	hätte dürfen/gedurft
du	dürf test	–	hättest dürfen/gedurft
er/sie/es	dürf te	–	hätte dürfen/gedurft
wir	dürf ten	–	hätten dürfen/gedurft
ihr	dürf tet	–	hättet dürfen/gedurft
sie/Sie	dürf ten	–	hätten dürfen/gedurft

5 können* kann – konnte – hat können/gekonnt

Kann ich Ihnen helfen? / Zwei Aufgaben habe ich nicht gekonnt.

Indikativ

	Präsens	Imperfekt	Perfekt	Plusquamperfekt
ich	kann	konn te	habe können/gekonnt	hatte können/gekonnt
du	kann st	konn test	hast können/gekonnt	hattest können/gekonnt
er/sie/es	kann	konn te	hat können/gekonnt	hatte können/gekonnt
wir	könn en	konn ten	haben können/gekonnt	hatten können/gekonnt
ihr	könn t	konn tet	habt können/gekonnt	hattet können/gekonnt
sie/Sie	könn en	konn ten	haben können/gekonnt	hatten können/gekonnt

	Futur I		Imperativ	Infinitiv
ich	werde können	–	–	**Präs.:** können
du	wirst können	–	–	**Perf.:** gekonnt haben
er/sie/es	wird können	–	–	**Partizip**
wir	werden können	–	–	**Präs.:** (könnend)
ihr	werdet können	–	–	**Perf.:** können/gekonnt
sie/Sie	werden können	–	–	

Konjunktiv

Konjunktiv I

	Gegenwart	Vergangenheit	Zukunft	
ich	könn e	habe können/gekonnt	werde können	–
du	könn est	habest können/gekonnt	werdest können	–
er/sie/es	könn e	habe können/gekonnt	werde können	–
wir	könn en	haben können/gekonnt	werden können	–
ihr	könn et	habet können/gekonnt	werdet können	–
sie/Sie	könn en	haben können/gekonnt	werden können	–

Konjunktiv II

	Gegenwart / Zukunft		Vergangenheit
ich	könn te	–	hätte können/gekonnt
du	könn test	–	hättest können/gekonnt
er/sie/es	könn te	–	hätte können/gekonnt
wir	könn ten	–	hätten können/gekonnt
ihr	könn tet	–	hättet können/gekonnt
sie/Sie	könn ten	–	hätten können/gekonnt

6 mögen* mag – mochte – hat mögen/gemocht

Sie mag keinen Kaffee. Sie hat Kaffee noch nie gemocht.

Indikativ

	Präsens	Imperfekt	Perfekt	Plusquamperfekt
ich	mag	moch te	habe mögen/gemocht	hatte mögen/gemocht
du	mag st	moch test	hast mögen/gemocht	hattest mögen/gemocht
er/sie/es	mag	moch te	hat mögen/gemocht	hatte mögen/gemocht
wir	mög en	moch ten	haben mögen/gemocht	hatten mögen/gemocht
ihr	mög t	moch tet	habt mögen/gemocht	hattet mögen/gemocht
sie/Sie	mög en	moch ten	haben mögen/gemocht	hatten mögen/gemocht

	Futur I		Imperativ	Infinitiv
ich	werde mögen	–	–	**Präs.:** mögen
du	wirst mögen	–	–	**Perf.:** gemocht haben
er/sie/es	wird mögen	–	–	
wir	werden mögen	–	–	**Partizip**
ihr	werdet mögen	–	–	**Präs.:** (mögend)
sie/Sie	werden mögen	–	–	**Perf.:** mögen/ gemocht

Konjunktiv

Konjunktiv I

	Gegenwart	Vergangenheit	Zukunft	
ich	mög e	habe mögen/gemocht	werde mögen	–
du	mög est	habest mögen/gemocht	werdest mögen	–
er/sie/es	mög e	habe mögen/gemocht	werde mögen	–
wir	mög en	haben mögen/gemocht	werden mögen	–
ihr	mög et	habet mögen/gemocht	werdet mögen	–
sie/Sie	mög en	haben mögen/gemocht	werden mögen	–

Konjunktiv II

	Gegenwart / Zukunft		Vergangenheit
ich	möch te	–	hätte mögen/gemocht
du	möch test	–	hättest mögen/gemocht
er/sie/es	möch te	–	hätte mögen/gemocht
wir	möch ten	–	hätten mögen/gemocht
ihr	möch tet	–	hättet mögen/gemocht
sie/Sie	möch ten	–	hätten mögen/gemocht

7 müssen* muss – musste – hat müssen/gemusst

Sie muss heute zum Arzt. / Das Kind hat schon früh ins Bett gemusst.

Indikativ

	Präsens	Imperfekt	Perfekt	Plusquamperfekt
ich	muss	muss te	habe müssen/gemusst	hatte müssen/gemusst
du	muss t	muss test	hast müssen/gemusst	hattest müssen/gemusst
er/sie/es	muss	muss te	hat müssen/gemusst	hatte müssen/gemusst
wir	müss en	muss ten	haben müssen/gemusst	hatten müssen/gemusst
ihr	müss t	muss tet	habt müssen/gemusst	hattet müssen/gemusst
sie/Sie	müss en	muss ten	haben müssen/gemusst	hatten müssen/gemusst

	Futur I		Imperativ	Infinitiv
ich	werde müssen	–	–	**Präs.:** müssen
du	wirst müssen	–	–	**Perf.:** gemusst haben
er/sie/es	wird müssen	–	–	
wir	werden müssen	–	–	**Partizip**
ihr	werdet müssen	–	–	**Präs.:** (müssend)
sie/Sie	werden müssen	–	–	**Perf.:** müssen/ gemusst

Konjunktiv

Konjunktiv I

	Gegenwart	Vergangenheit	Zukunft	
ich	müss e	habe müssen/gemusst	werde müssen	–
du	müss est	habest müssen/gemusst	werdest müssen	–
er/sie/es	müss e	habe müssen/gemusst	werde müssen	–
wir	müss en	haben müssen/gemusst	werden müssen	–
ihr	müss et	habet müssen/gemusst	werdet müssen	–
sie/Sie	müss en	haben müssen/gemusst	werden müssen	–

Konjunktiv II

	Gegenwart / Zukunft		Vergangenheit
ich	müss te	–	hätte müssen/gemusst
du	müss test	–	hättest müssen/gemusst
er/sie/es	müss te	–	hätte müssen/gemusst
wir	müss ten	–	hätten müssen/gemusst
ihr	müss tet	–	hättet müssen/gemusst
sie/Sie	müss ten	–	hätten müssen/gemusst

8 sollen* soll – sollte – hat sollen

Im Theater soll man sein Handy ausschalten.

Indikativ

	Präsens	Imperfekt	Perfekt	Plusquamperfekt
ich	soll	soll te	habe sollen	hatte sollen
du	soll st	soll test	hast sollen	hattest sollen
er/sie/es	soll	soll te	hat sollen	hatte sollen
wir	soll en	soll ten	haben sollen	hatten sollen
ihr	soll t	soll tet	habt sollen	hattet sollen
sie/Sie	soll en	soll ten	haben sollen	hatten sollen

	Futur I		Imperativ	Infinitiv
ich	werde sollen	–	–	**Präs.:** sollen
du	wirst sollen	–	–	**Perf.:** –
er/sie/es	wird sollen	–	–	**Partizip**
wir	werden sollen	–	–	**Präs.:** (sollend)
ihr	werdet sollen	–	–	**Perf.:** sollen
sie/Sie	werden sollen	–	–	

Konjunktiv

Konjunktiv I

	Gegenwart	Vergangenheit	Zukunft	
ich	soll e	habe sollen	werde sollen	–
du	soll est	habest sollen	werdest sollen	–
er/sie/es	soll e	habe sollen	werde sollen	–
wir	soll en	haben sollen	werden sollen	–
ihr	soll et	habet sollen	werdet sollen	–
sie/Sie	soll en	haben sollen	werden sollen	–

Konjunktiv II

	Gegenwart / Zukunft		Vergangenheit
ich	soll te	–	hätte sollen
du	soll test	–	hättest sollen
er/sie/es	soll te	–	hätte sollen
wir	soll ten	–	hätten sollen
ihr	soll tet	–	hättet sollen
sie/Sie	soll ten	–	hätten sollen

9 wollen* will – wollte – hat wollen/gewollt

Er will ein Praktikum machen. / Entschuldigung, das habe ich nicht gewollt.

Indikativ

	Präsens	**Imperfekt**	**Perfekt**	**Plusquamperfekt**
ich	will	woll te	habe wollen/gewollt	hatte wollen/gewollt
du	will st	woll test	hast wollen/gewollt	hattest wollen/gewollt
er/sie/es	will	woll te	hat wollen/gewollt	hatte wollen/gewollt
wir	woll en	woll ten	haben wollen/gewollt	hatten wollen/gewollt
ihr	woll t	woll tet	habt wollen/gewollt	hattet wollen/gewollt
sie/Sie	woll en	woll ten	haben wollen/gewollt	hatten wollen/gewollt

	Futur I		**Imperativ**	**Infinitiv**
ich	werde wollen	–	–	**Präs.:** wollen
du	wirst wollen	–	–	**Perf.:** gewollt haben
er/sie/es	wird wollen	–	–	**Partizip**
wir	werden wollen	–	–	**Präs.:** (wollend)
ihr	werdet wollen	–	–	**Perf.:** wollen/
sie/Sie	werden wollen	–	–	gewollt

Konjunktiv

Konjunktiv I

	Gegenwart	**Vergangenheit**	**Zukunft**	
ich	woll e	habe wollen/gewollt	werde wollen	–
du	woll est	habest wollen/gewollt	werdest wollen	–
er/sie/es	woll e	habe wollen/gewollt	werde wollen	–
wir	woll en	haben wollen/gewollt	werden wollen	–
ihr	woll et	habet wollen/gewollt	werdet wollen	–
sie/Sie	woll en	haben wollen/gewollt	werden wollen	–

Konjunktiv II

	Gegenwart / Zukunft		**Vergangenheit**
ich	woll te	–	hätte wollen/gewollt
du	woll test	–	hättest wollen/gewollt
er/sie/es	woll te	–	hätte wollen/gewollt
wir	woll ten	–	hätten wollen/gewollt
ihr	woll tet	–	hättet wollen/gewollt
sie/Sie	woll ten	–	hätten wollen/gewollt

10 machen* macht – machte – hat gemacht

Hast du deine Hausaufgaben schon gemacht?

Indikativ

	Präsens	Imperfekt	Perfekt	Plusquamperfekt
ich	mach e	mach te	habe gemacht	hatte gemacht
du	mach st	mach test	hast gemacht	hattest gemacht
er/sie/es	mach t	mach te	hat gemacht	hatte gemacht
wir	mach en	mach ten	haben gemacht	hatten gemacht
ihr	mach t	mach tet	habt gemacht	hattet gemacht
sie/Sie	mach en	mach ten	haben gemacht	hatten gemacht

	Futur I	Futur II	Imperativ	Infinitiv
ich	werde machen	werde gemacht haben	–	**Präs.:** machen
du	wirst machen	wirst gemacht haben	mach	**Perf.:** gemacht haben
er/sie/es	wird machen	wird gemacht haben	–	
wir	werden machen	werden gemacht haben	mach en wir	**Partizip**
ihr	werdet machen	werdet gemacht haben	mach t	**Präs.:** machend
sie/Sie	werden machen	werden gemacht haben	mach en Sie	**Perf.:** gemacht

Konjunktiv

Konjunktiv I

	Gegenwart	Vergangenheit	Zukunft	
ich	mach e	habe gemacht	werde machen	werde gemacht haben
du	mach est	habest gemacht	werdest machen	werdest gemacht haben
er/sie/es	mach e	habe gemacht	werde machen	werde gemacht haben
wir	mach en	haben gemacht	werden machen	werden gemacht haben
ihr	mach et	habet gemacht	werdet machen	werdet gemacht haben
sie/Sie	mach en	haben gemacht	werden machen	werden gemacht haben

Konjunktiv II

	Gegenwart / Zukunft		Vergangenheit
ich	mach te	würde machen	hätte gemacht
du	mach test	würdest machen	hättest gemacht
er/sie/es	mach te	würde machen	hätte gemacht
wir	mach ten	würden machen	hätten gemacht
ihr	mach tet	würdet machen	hättet gemacht
sie/Sie	mach ten	würden machen	hätten gemacht

11 arbeiten* arbeitet – arbeitete – hat gearbeitet

Mein Freund arbeitet bei Lufthansa.

Indikativ

	Präsens	Imperfekt	Perfekt	Plusquamperfekt
ich	arbeit e	arbeit ete	habe gearbeitet	hatte gearbeitet
du	arbeit est	arbeit etest	hast gearbeitet	hattest gearbeitet
er/sie/es	arbeit et	arbeit ete	hat gearbeitet	hatte gearbeitet
wir	arbeit en	arbeit eten	haben gearbeitet	hatten gearbeitet
ihr	arbeit et	arbeit etet	habt gearbeitet	hattet gearbeitet
sie/Sie	arbeit en	arbeit eten	haben gearbeitet	hatten gearbeitet

	Futur I	Futur II	Imperativ	Infinitiv
ich	werde arbeiten	werde gearbeitet haben	–	**Präs.:** arbeiten
du	wirst arbeiten	wirst gearbeitet haben	arbeit e	**Perf.:** gearbeitet haben
er/sie/es	wird arbeiten	wird gearbeitet haben	–	
wir	werden arbeiten	werden gearbeitet haben	arbeit en wir	**Partizip**
ihr	werdet arbeiten	werdet gearbeitet haben	arbeit et	**Präs.:** arbeitend
sie/Sie	werden arbeiten	werden gearbeitet haben	arbeit en Sie	**Perf.:** gearbeitet

Konjunktiv

Konjunktiv I

	Gegenwart	Vergangenheit	Zukunft	
ich	arbeit e	habe gearbeitet	werde arbeiten	werde gearbeitet haben
du	arbeit est	habest gearbeitet	werdest arbeiten	werdest gearbeitet haben
er/sie/es	arbeit e	habe gearbeitet	werde arbeiten	werde gearbeitet haben
wir	arbeit en	haben gearbeitet	werden arbeiten	werden gearbeitet haben
ihr	arbeit et	habet gearbeitet	werdet arbeiten	werdet gearbeitet haben
sie/Sie	arbeit en	haben gearbeitet	werden arbeiten	werden gearbeitet haben

Konjunktiv II

	Gegenwart / Zukunft		Vergangenheit
ich	arbeit ete	würde arbeiten	hätte gearbeitet
du	arbeit etest	würdest arbeiten	hättest gearbeitet
er/sie/es	arbeit ete	würde arbeiten	hätte gearbeitet
wir	arbeit eten	würden arbeiten	hätten gearbeitet
ihr	arbeit etet	würdet arbeiten	hättet gearbeitet
sie/Sie	arbeit eten	würden arbeiten	hätten gearbeitet

12 handeln* handelt – handelte – hat gehandelt

Er handelt mit Aktien.

Indikativ

	Präsens	Imperfekt	Perfekt	Plusquamperfekt
ich	handl e	handel te	habe gehandelt	hatte gehandelt
du	handel st	handel test	hast gehandelt	hattest gehandelt
er/sie/es	handel t	handel te	hat gehandelt	hatte gehandelt
wir	handel n	handel ten	haben gehandelt	hatten gehandelt
ihr	handel t	handel tet	habt gehandelt	hattet gehandelt
sie/Sie	handel n	handel ten	haben gehandelt	hatten gehandelt

	Futur I	Futur II	Imperativ	Infinitiv
ich	werde handeln	werde gehandelt haben	–	**Präs.:** handeln
du	wirst handeln	wirst gehandelt haben	handl e!	**Perf.:** gehandelt haben
er/sie/es	wird handeln	wird gehandelt haben	–	
wir	werden handeln	werden gehandelt haben	handel n wir!	**Partizip**
ihr	werdet handeln	werdet gehandelt haben	handel t!	**Präs.:** handelnd
sie/Sie	werden handeln	werden gehandelt haben	handel n Sie!	**Perf.:** gehandelt

Konjunktiv

Konjunktiv I

	Gegenwart	Vergangenheit	Zukunft	
ich	handl e	habe gehandelt	werde handeln	werde gehandelt haben
du	handl est	habest gehandelt	werdest handeln	werdest gehandelt haben
er/sie/es	handl e	habe gehandelt	werde handeln	werde gehandelt haben
wir	handl en	haben gehandelt	werden handeln	werden gehandelt haben
ihr	handl et	habet gehandelt	werdet handeln	werdet gehandelt haben
sie/Sie	handl en	haben gehandelt	werden handeln	werden gehandelt haben

Konjunktiv II

	Gegenwart / Zukunft		Vergangenheit
ich	handel te	würde handeln	hätte gehandelt
du	handel test	würdest handeln	hättest gehandelt
er/sie/es	handel te	würde handeln	hätte gehandelt
wir	handel ten	würden handeln	hätten gehandelt
ihr	handel tet	würdet handeln	hättet gehandelt
sie/Sie	handel ten	würden handeln	hätten gehandelt

13 erinnern* erinnert – erinnerte – hat erinnert

Er erinnert sich gern an seine erste Reise nach Deutschland.

Indikativ

	Präsens	Imperfekt	Perfekt	Plusquamperfekt
ich	erinner e	erinner te	habe erinnert	hatte erinnert
du	erinner st	erinner test	hast erinnert	hattest erinnert
er/sie/es	erinner t	erinner te	hat erinnert	hatte erinnert
wir	erinner n	erinner ten	haben erinnert	hatten erinnert
ihr	erinner t	erinner tet	habt erinnert	hattet erinnert
sie/Sie	erinner n	erinner ten	haben erinnert	hatten erinnert

	Futur I	Futur II	Imperativ	Infinitiv
ich	werde erinnern	werde erinnert haben	–	**Präs.:** erinnern
du	wirst erinnern	wirst erinnert haben	erinner e!	**Perf.:** erinnert haben
er/sie/es	wird erinnern	wird erinnert haben	–	
wir	werden erinnern	werden erinnert haben	erinner n wir!	**Partizip**
ihr	werdet erinnern	werdet erinnert haben	erinner t!	**Präs.:** erinnernd
sie/Sie	werden erinnern	werden erinnert haben	erinner n Sie!	**Perf.:** erinnert

Konjunktiv

Konjunktiv I

	Gegenwart	Vergangenheit	Zukunft	
ich	erinner e	habe erinnert	werde erinnern	werde erinnert haben
du	erinner est	habest erinnert	werdest erinnern	werdest erinnert haben
er/sie/es	erinner e	habe erinnert	werde erinnern	werde erinnert haben
wir	erinner en	haben erinnert	werden erinnern	werden erinnert haben
ihr	erinner et	habet erinnert	werdet erinnern	werdet erinnert haben
sie/Sie	erinner en	haben erinnert	werden erinnern	werden erinnert haben

Konjunktiv II

	Gegenwart / Zukunft		Vergangenheit
ich	erinner te	würde erinnern	hätte erinnert
du	erinner test	würdest erinnern	hättest erinnert
er/sie/es	erinner te	würde erinnern	hätte erinnert
wir	erinner ten	würden erinnern	hätten erinnert
ihr	erinner tet	würdet erinnern	hättet erinnert
sie/Sie	erinner ten	würden erinnern	hätten erinnert

14 schützen* schützt – schützte – hat geschützt

Ich muss meine Haut vor zu viel Sonne schützen.

Indikativ

	Präsens	Imperfekt	Perfekt	Plusquamperfekt
ich	schütz e	schütz te	habe geschützt	hatte geschützt
du	schütz t	schütz test	hast geschützt	hattest geschützt
er/sie/es	schütz t	schütz te	hat geschützt	hatte geschützt
wir	schütz en	schütz ten	haben geschützt	hatten geschützt
ihr	schütz t	schütz tet	habt geschützt	hattet geschützt
sie/Sie	schütz en	schütz ten	haben geschützt	hatten geschützt

	Futur I	Futur II	Imperativ	Infinitiv
ich	werde schützen	werde geschützt haben	–	**Präs.:** schützen
du	wirst schützen	wirst geschützt haben	schütz!	**Perf.:** geschützt
er/sie/es	wird schützen	wird geschützt haben	–	haben
wir	werden schützen	werden geschützt haben	schütz en wir!	**Partizip**
ihr	werdet schützen	werdet geschützt haben	schütz t!	**Präs.:** schützend
sie/Sie	werden schützen	werden geschützt haben	schütz en Sie!	**Perf.:** geschützt

Konjunktiv

Konjunktiv I

	Gegenwart	Vergangenheit	Zukunft	
ich	schütz e	habe geschützt	werde schützen	werde geschützt haben
du	schütz est	habest geschützt	werdest schützen	werdest geschützt haben
er/sie/es	schütz e	habe geschützt	werde schützen	werde geschützt haben
wir	schütz en	haben geschützt	werden schützen	werden geschützt haben
ihr	schütz et	habet geschützt	werdet schützen	werdet geschützt haben
sie/Sie	schütz en	haben geschützt	werden schützen	werden geschützt haben

Konjunktiv II

	Gegenwart / Zukunft		Vergangenheit
ich	schütz te	würde schützen	hätte geschützt
du	schütz test	würdest schützen	hättest geschützt
er/sie/es	schütz te	würde schützen	hätte geschützt
wir	schütz ten	würden schützen	hätten geschützt
ihr	schütz tet	würdet schützen	hättet geschützt
sie/Sie	schütz ten	würden schützen	hätten geschützt

15 beginnen* beginnt – begann – hat begonnen

Der Unterricht beginnt um acht Uhr.

Indikativ

	Präsens	Imperfekt	Perfekt	Plusquamperfekt
ich	beginn e	begann	habe begonnen	hatte begonnen
du	beginn st	begann st	hast begonnen	hattest begonnen
er/sie/es	beginn t	begann	hat begonnen	hatte begonnen
wir	beginn en	begann en	haben begonnen	hatten begonnen
ihr	beginn t	begann t	habt begonnen	hattet begonnen
sie/Sie	beginn en	begann en	haben begonnen	hatten begonnen

	Futur I	Futur II	Imperativ	Infinitiv
ich	werde beginnen	werde begonnen haben	–	**Präs.:** beginnen
du	wirst beginnen	wirst begonnen haben	beginn	**Perf.:** begonnen
er/sie/es	wird beginnen	wird begonnen haben	–	haben
wir	werden beginnen	werden begonnen haben	beginn en wir	**Partizip**
ihr	werdet beginnen	werdet begonnen haben	beginn t	**Präs.:** beginnend
sie/Sie	werden beginnen	werden begonnen haben	beginn en Sie	**Perf.:** begonnen

Konjunktiv

Konjunktiv I

	Gegenwart	Vergangenheit	Zukunft	
ich	beginn e	habe begonnen	werde beginnen	werde begonnen haben
du	beginn est	habest begonnen	werdest beginnen	werdest begonnen haben
er/sie/es	beginn e	habe begonnen	werde beginnen	werde begonnen haben
wir	beginn en	haben begonnen	werden beginnen	werden begonnen haben
ihr	beginn et	habet begonnen	werdet beginnen	werdet begonnen haben
sie/Sie	beginn en	haben begonnen	werden beginnen	werden begonnen haben

Konjunktiv II

	Gegenwart / Zukunft		Vergangenheit
ich	begänn e	würde beginnen	hätte begonnen
du	begänn est	würdest beginnen	hättest begonnen
er/sie/es	begänn e	würde beginnen	hätte begonnen
wir	begänn en	würden beginnen	hätten begonnen
ihr	begänn et	würdet beginnen	hättet begonnen
sie/Sie	begänn en	würden beginnen	hätten begonnen

Ebenso:

gewinnen	**spinnen**	**rinnen** (ist) gerinnen (ist) verrinnen (ist)	**sich besinnen** ersinnen	**schwimmen** (hat/ist)

16 beißen beißt – biss – hat gebissen

Mein Hund beißt nicht.

Indikativ

	Präsens	Imperfekt	Perfekt	Plusquamperfekt
ich	beiß e	biss	habe gebissen	hatte gebissen
du	beiß t	biss t	hast gebissen	hattest gebissen
er/sie/es	beiß t	biss	hat gebissen	hatte gebissen
wir	beiß en	biss en	haben gebissen	hatten gebissen
ihr	beiß t	biss t	habt gebissen	hattet gebissen
sie/Sie	beiß en	biss en	haben gebissen	hatten gebissen

	Futur I	Futur II	Imperativ	Infinitiv
ich	werde beißen	werde gebissen haben	–	**Präs.:** beißen
du	wirst beißen	wirst gebissen haben	beiß	**Perf.:** gebissen
er/sie/es	wird beißen	wird gebissen haben	–	haben
wir	werden beißen	werden gebissen haben	beiß en wir	**Partizip**
ihr	werdet beißen	werdet gebissen haben	beiß t	**Präs.:** beißend
sie/Sie	werden beißen	werden gebissen haben	beiß en Sie	**Perf.:** gebissen

Konjunktiv

Konjunktiv I

	Gegenwart	Vergangenheit	Zukunft	
ich	beiß e	habe gebissen	werde beißen	werde gebissen haben
du	beiß est	habest gebissen	werdest beißen	werdest gebissen haben
er/sie/es	beiß e	habe gebissen	werde beißen	werde gebissen haben
wir	beiß en	haben gebissen	werden beißen	werden gebissen haben
ihr	beiß et	habet gebissen	werdet beißen	werdet gebissen haben
sie/Sie	beiß en	haben gebissen	werden beißen	werden gebissen haben

Konjunktiv II

	Gegenwart / Zukunft		Vergangenheit
ich	biss e	würde beißen	hätte gebissen
du	biss est	würdest beißen	hättest gebissen
er/sie/es	biss e	würde beißen	hätte gebissen
wir	biss en	würden beißen	hätten gebissen
ihr	biss et	würdet beißen	hättet gebissen
sie/Sie	biss en	würden beißen	hätten gebissen

Ebenso:

abbeißen	**reißen** (hat/ist)	**schmeißen**	**verschleißen**
anbeißen	abreißen (hat/ist)	wegschmeißen	
zerbeißen	zerreißen (hat/ist)		

17 bieten* bietet – bot – hat geboten

Die Stadt München bietet viele Freizeitmöglichkeiten.

Indikativ

	Präsens	Imperfekt	Perfekt	Plusquamperfekt
ich	biet e	bot	habe geboten	hatte geboten
du	biet est	bot (e)st	hast geboten	hattest geboten
er/sie/es	biet et	bot	hat geboten	hatte geboten
wir	biet en	bot en	haben geboten	hatten geboten
ihr	biet et	bot et	habt geboten	hattet geboten
sie/Sie	biet en	bot en	haben geboten	hatten geboten

	Futur I	Futur II	Imperativ	Infinitiv
ich	werde bieten	werde geboten haben	–	**Präs.:** bieten
du	wirst bieten	wirst geboten haben	biet e	**Perf.:** geboten haben
er/sie/es	wird bieten	wird geboten haben	–	
wir	werden bieten	werden geboten haben	biet en wir	**Partizip**
ihr	werdet bieten	werdet geboten haben	biet et	**Präs.:** bietend
sie/Sie	werden bieten	werden geboten haben	biet en Sie	**Perf.:** geboten

Konjunktiv

Konjunktiv I

	Gegenwart	Vergangenheit	Zukunft	
ich	biet e	habe geboten	werde bieten	werde geboten haben
du	biet est	habest geboten	werdest bieten	werdest geboten haben
er/sie/es	biet e	habe geboten	werde bieten	werde geboten haben
wir	biet en	haben geboten	werden bieten	werden geboten haben
ihr	biet et	habet geboten	werdet bieten	werdet geboten haben
sie/Sie	biet en	haben geboten	werden bieten	werden geboten haben

Konjunktiv II

	Gegenwart / Zukunft		Vergangenheit
ich	böt e	würde bieten	hätte geboten
du	böt est	würdest bieten	hättest geboten
er/sie/es	böt e	würde bieten	hätte geboten
wir	böt en	würden bieten	hätten geboten
ihr	böt et	würdet bieten	hättet geboten
sie/Sie	böt en	würden bieten	hätten geboten

Ebenso:
anbieten
verbieten

18 bitten* bittet – bat – hat gebeten

Ich bitte um Ruhe.

Indikativ

	Präsens	Imperfekt	Perfekt	Plusquamperfekt
ich	bitt e	bat	habe gebeten	hatte gebeten
du	bitt est	bat (e)st	hast gebeten	hattest gebeten
er/sie/es	bitt et	bat	hat gebeten	hatte gebeten
wir	bitt en	bat en	haben gebeten	hatten gebeten
ihr	bitt et	bat et	habt gebeten	hattet gebeten
sie/Sie	bitt en	bat en	haben gebeten	hatten gebeten

	Futur I	Futur II	Imperativ	Infinitiv
ich	werde bitten	werde gebeten haben	–	**Präs.:** bitten
du	wirst bitten	wirst gebeten haben	bitt e	**Perf.:** gebeten
er/sie/es	wird bitten	wird gebeten haben	–	haben
wir	werden bitten	werden gebeten haben	bitt en wir	**Partizip**
ihr	werdet bitten	werdet gebeten haben	bitt et	**Präs.:** bittend
sie/Sie	werden bitten	werden gebeten haben	bitt en Sie	**Perf.:** gebeten

Konjunktiv

Konjunktiv I

	Gegenwart	Vergangenheit	Zukunft	
ich	bitt e	habe gebeten	werde bitten	werde gebeten haben
du	bitt est	habest gebeten	werdest bitten	werdest gebeten haben
er/sie/es	bitt e	habe gebeten	werde bitten	werde gebeten haben
wir	bitt en	haben gebeten	werden bitten	werden gebeten haben
ihr	bitt et	habet gebeten	werdet bitten	werdet gebeten haben
sie/Sie	bitt en	haben gebeten	werden bitten	werden gebeten haben

Konjunktiv II

	Gegenwart / Zukunft		Vergangenheit
ich	bät e	würde bitten	hätte gebeten
du	bät est	würdest bitten	hättest gebeten
er/sie/es	bät e	würde bitten	hätte gebeten
wir	bät en	würden bitten	hätten gebeten
ihr	bät et	würdet bitten	hättet gebeten
sie/Sie	bät en	würden bitten	hätten gebeten

Ebenso:
erbitten
sich verbitten

19 blasen bläst – blies – hat geblasen

Der Wind bläst heute sehr stark.

Indikativ

	Präsens	Imperfekt	Perfekt	Plusquamperfekt
ich	blas e	blies	habe geblasen	hatte geblasen
du	bläs t	blies t	hast geblasen	hattest geblasen
er/sie/es	bläs t	blies	hat geblasen	hatte geblasen
wir	blas en	blies en	haben geblasen	hatten geblasen
ihr	blas t	blies t	habt geblasen	hattet geblasen
sie/Sie	blas en	blies en	haben geblasen	hatten geblasen

	Futur I	Futur II	Imperativ	Infinitiv
ich	werde blasen	werde geblasen haben	–	**Präs.:** blasen
du	wirst blasen	wirst geblasen haben	blas	**Perf.:** geblasen haben
er/sie/es	wird blasen	wird geblasen haben	–	
wir	werden blasen	werden geblasen haben	blas en wir	**Partizip**
ihr	werdet blasen	werdet geblasen haben	blas t	**Präs.:** blasend
sie/Sie	werden blasen	werden geblasen haben	blas en Sie	**Perf.:** geblasen

Konjunktiv

Konjunktiv I

	Gegenwart	Vergangenheit	Zukunft	
ich	blas e	habe geblasen	werde blasen	werde geblasen haben
du	blas est	habest geblasen	werdest blasen	werdest geblasen haben
er/sie/es	blas e	habe geblasen	werde blasen	werde geblasen haben
wir	blas en	haben geblasen	werden blasen	werden geblasen haben
ihr	blas et	habet geblasen	werdet blasen	werdet geblasen haben
sie/Sie	blas en	haben geblasen	werden blasen	werden geblasen haben

Konjunktiv II

	Gegenwart / Zukunft		Vergangenheit
ich	blies e	würde blasen	hätte geblasen
du	blies est	würdest blasen	hättest geblasen
er/sie/es	blies e	würde blasen	hätte geblasen
wir	blies en	würden blasen	hätten geblasen
ihr	blies et	würdet blasen	hättet geblasen
sie/Sie	blies en	würden blasen	hätten geblasen

Ebenso:
aufblasen
ausblasen

20 bleiben* bleibt – blieb – ist geblieben

Bleib doch noch ein bisschen bei uns.

Indikativ

	Präsens	Imperfekt	Perfekt	Plusquamperfekt
ich	bleib e	blieb	bin geblieben	war geblieben
du	bleib st	blieb st	bist geblieben	warst geblieben
er/sie/es	bleib t	blieb	ist geblieben	war geblieben
wir	bleib en	blieb en	sind geblieben	waren geblieben
ihr	bleib t	blieb t	seid geblieben	wart geblieben
sie/Sie	bleib en	blieb en	sind geblieben	waren geblieben

	Futur I	Futur II	Imperativ	Infinitiv
ich	werde bleiben	werde geblieben sein	–	**Präs.:** bleiben
du	wirst bleiben	wirst geblieben sein	bleib	**Perf.:** geblieben sein
er/sie/es	wird bleiben	wird geblieben sein	–	
wir	werden bleiben	werden geblieben sein	bleiben wir	**Partizip**
ihr	werdet bleiben	werdet geblieben sein	bleib t	**Präs.:** bleibend
sie/Sie	werden bleiben	werden geblieben sein	bleiben Sie	**Perf.:** geblieben

Konjunktiv

Konjunktiv I

	Gegenwart	Vergangenheit	Zukunft	
ich	bleib e	sei geblieben	werde bleiben	werde geblieben sein
du	bleib est	sei(e)st geblieben	werdest bleiben	werdest geblieben sein
er/sie/es	bleib e	sei geblieben	werde bleiben	werde geblieben sein
wir	bleib en	seien geblieben	werden bleiben	werden geblieben sein
ihr	bleib et	seiet geblieben	werdet bleiben	werdet geblieben sein
sie/Sie	bleib en	seien geblieben	werden bleiben	werden geblieben sein

Konjunktiv II

	Gegenwart / Zukunft		Vergangenheit
ich	blieb e	würde bleiben	wäre geblieben
du	blieb est	würdest bleiben	wär(e)st geblieben
er/sie/es	blieb e	würde bleiben	wäre geblieben
wir	blieb en	würden bleiben	wären geblieben
ihr	blieb et	würdet bleiben	wär(e)t geblieben
sie/Sie	blieb en	würden bleiben	wären geblieben

Ebenso:

ausbleiben (ist)	**reiben**	**schreiben**	**treiben**	**schweigen**	**steigen** (ist)
verbleiben (ist)	einreiben	beschreiben	betreiben	verschweigen	aufsteigen (ist)
wegbleiben (ist)	verreiben	unterschreiben	vertreiben	**scheinen**	besteigen

21 brechen* bricht – brach – hat/ist gebrochen

Er hat sich beim Skifahren das Bein gebrochen.

Indikativ

	Präsens	Imperfekt	Perfekt	Plusquamperfekt
ich	brech e	brach	habe gebrochen	hatte gebrochen
du	brich st	brach st	hast gebrochen	hattest gebrochen
er/sie/es	brich t	brach	hat gebrochen	hatte gebrochen
wir	brech en	brach en	haben gebrochen	hatten gebrochen
ihr	brech t	brach t	habt gebrochen	hattet gebrochen
sie/Sie	brech en	brach en	haben gebrochen	hatten gebrochen

	Futur I	Futur II	Imperativ	Infinitiv
ich	werde brechen	werde gebrochen haben	–	**Präs.:** brechen
du	wirst brechen	wirst gebrochen haben	brich	**Perf.:** gebrochen
er/sie/es	wird brechen	wird gebrochen haben	–	haben
wir	werden brechen	werden gebrochen haben	brech en wir	**Partizip**
ihr	werdet brechen	werdet gebrochen haben	brech t	**Präs.:** brechend
sie/Sie	werden brechen	werden gebrochen haben	brech en Sie	**Perf.:** gebrochen

Konjunktiv

Konjunktiv I

	Gegenwart	Vergangenheit	Zukunft	
ich	brech e	habe gebrochen	werde brechen	werde gebrochen haben
du	brech est	habest gebrochen	werdest brechen	werdest gebrochen haben
er/sie/es	brech e	habe gebrochen	werde brechen	werde gebrochen haben
wir	brech en	haben gebrochen	werden brechen	werden gebrochen haben
ihr	brech et	habet gebrochen	werdet brechen	werdet gebrochen haben
sie/Sie	brech en	haben gebrochen	werden brechen	werden gebrochen haben

Konjunktiv II

	Gegenwart / Zukunft		Vergangenheit
ich	bräch e	würde brechen	hätte gebrochen
du	bräch est	würdest brechen	hättest gebrochen
er/sie/es	bräch e	würde brechen	hätte gebrochen
wir	bräch en	würden brechen	hätten gebrochen
ihr	bräch et	würdet brechen	hättet gebrochen
sie/Sie	bräch en	würden brechen	hätten gebrochen

Ebenso:

	sprechen	**stechen**
abbrechen (hat/ist)	besprechen	bestechen
einbrechen (hat/ist)	versprechen	
zerbrechen (hat/ist)		

22 bringen* bringt – brachte – hat gebracht

Könnten Sie mir bitte einen Kaffee bringen?

Indikativ

	Präsens	Imperfekt	Perfekt	Plusquamperfekt
ich	bring e	brach te	habe gebracht	hatte gebracht
du	bring st	brach test	hast gebracht	hattest gebracht
er/sie/es	bring t	brach te	hat gebracht	hatte gebracht
wir	bring en	brach ten	haben gebracht	hatten gebracht
ihr	bring t	brach tet	habt gebracht	hattet gebracht
sie/Sie	bring en	brach ten	haben gebracht	hatten gebracht

	Futur I	Futur II	Imperativ	Infinitiv
ich	werde bringen	werde gebracht haben	–	**Präs.:** bringen
du	wirst bringen	wirst gebracht haben	bring	**Perf.:** gebracht haben
er/sie/es	wird bringen	wird gebracht haben	–	
wir	werden bringen	werden gebracht haben	bring en wir	**Partizip**
ihr	werdet bringen	werdet gebracht haben	bring t	**Präs.:** bringend
sie/Sie	werden bringen	werden gebracht haben	bring en Sie	**Perf.:** gebracht

Konjunktiv

Konjunktiv I

	Gegenwart	Vergangenheit	Zukunft	
ich	bring e	habe gebracht	werde bringen	werde gebracht haben
du	bring est	habest gebracht	werdest bringen	werdest gebracht haben
er/sie/es	bring e	habe gebracht	werde bringen	werde gebracht haben
wir	bring en	haben gebracht	werden bringen	werden gebracht haben
ihr	bring et	habet gebracht	werdet bringen	werdet gebracht haben
sie/Sie	bring en	haben gebracht	werden bringen	werden gebracht haben

Konjunktiv II

	Gegenwart / Zukunft		Vergangenheit
ich	brächt e	würde bringen	hätte gebracht
du	brächt est	würdest bringen	hättest gebracht
er/sie/es	brächt e	würde bringen	hätte gebracht
wir	brächt en	würden bringen	hätten gebracht
ihr	brächt et	würdet bringen	hättet gebracht
sie/Sie	brächt en	würden bringen	hätten gebracht

Ebenso:	
beibringen	unterbringen
mitbringen	vorbringen
überbringen	wegbringen

23 denken* denkt – dachte – hat gedacht

Ich denke oft an meine Freunde in Amerika.

Indikativ

	Präsens	Imperfekt	Perfekt	Plusquamperfekt
ich	denk e	dach te	habe gedacht	hatte gedacht
du	denk st	dach test	hast gedacht	hattest gedacht
er/sie/es	denk t	dach te	hat gedacht	hatte gedacht
wir	denk en	dach ten	haben gedacht	hatten gedacht
ihr	denk t	dach tet	habt gedacht	hattet gedacht
sie/Sie	denk en	dach ten	haben gedacht	hatten gedacht

	Futur I	Futur II	Imperativ	Infinitiv
ich	werde denken	werde gedacht haben	–	**Präs.:** denken
du	wirst denken	wirst gedacht haben	denk	**Perf.:** gedacht haben
er/sie/es	wird denken	wird gedacht haben	–	
wir	werden denken	werden gedacht haben	denk en wir	**Partizip**
ihr	werdet denken	werdet gedacht haben	denk t	**Präs.:** denkend
sie/Sie	werden denken	werden gedacht haben	denk en Sie	**Perf.:** gedacht

Konjunktiv

Konjunktiv I

	Gegenwart	Vergangenheit	Zukunft	
ich	denk e	habe gedacht	werde denken	werde gedacht haben
du	denk est	habest gedacht	werdest denken	werdest gedacht haben
er/sie/es	denk e	habe gedacht	werde denken	werde gedacht haben
wir	denk en	haben gedacht	werden denken	werden gedacht haben
ihr	denk et	habet gedacht	werdet denken	werdet gedacht haben
sie/Sie	denk en	haben gedacht	werden denken	werden gedacht haben

Konjunktiv II

	Gegenwart / Zukunft		Vergangenheit
ich	dächt e	würde denken	hätte gedacht
du	dächt est	würdest denken	hättest gedacht
er/sie/es	dächt e	würde denken	hätte gedacht
wir	dächt en	würden denken	hätten gedacht
ihr	dächt et	würdet denken	hättet gedacht
sie/Sie	dächt en	würden denken	hätten gedacht

Ebenso:

sich ausdenken	mitdenken
bedenken	nachdenken

24 erschrecken* erschrickt – erschrak – ist erschrocken

Ich erschrecke vor jeder Spinne.

Indikativ

	Präsens	Imperfekt	Perfekt	Plusquamperfekt
ich	erschreck e	erschrak	bin erschrocken	war erschrocken
du	erschrick st	erschrak st	bist erschrocken	warst erschrocken
er/sie/es	erschrick t	erschrak	ist erschrocken	war erschrocken
wir	erschreck en	erschrak en	sind erschrocken	waren erschrocken
ihr	erschreck t	erschrak t	seid erschrocken	wart erschrocken
sie/Sie	erschreck en	erschrak en	sind erschrocken	waren erschrocken

	Futur I	Futur II	Imperativ	Infinitiv
ich	werde erschrecken	werde erschrocken sein	–	**Präs.:** erschrecken
du	wirst erschrecken	wirst erschrocken sein	erschrick	**Perf.:** erschrocken sein
er/sie/es	wird erschrecken	wird erschrocken sein	–	
wir	werden erschrecken	werden erschrocken sein	erschrecken wir	**Partizip**
				Präs.: erschreckend
ihr	werdet erschrecken	werdet erschrocken sein	erschreckt	**Perf.:** erschrocken
sie/Sie	werden erschrecken	werden erschrocken sein	erschrecken Sie	

Konjunktiv

Konjunktiv I

	Gegenwart	Vergangenheit	Zukunft	
ich	erschreck e	sei erschrocken	werde erschrecken	werde erschrocken sein
du	erschreck est	sei(e)st erschrocken	werdest erschrecken	werdest erschrocken sein
er/sie/es	erschreck e	sei erschrocken	werde erschrecken	werde erschrocken sein
wir	erschreck en	seien erschrocken	werden erschrecken	werden erschrocken sein
ihr	erschreck et	seiet erschrocken	werdet erschrecken	werdet erschrocken sein
sie/Sie	erschreck en	seien erschrocken	werden erschrecken	werden erschrocken sein

Konjunktiv II

	Gegenwart / Zukunft		Vergangenheit
ich	erschräk e	würde erschrecken	wäre erschrocken
du	erschräk est	würdest erschrecken	wär(e)st erschrocken
er/sie/es	erschräk e	würde erschrecken	wäre erschrocken
wir	erschräk en	würden erschrecken	wären erschrocken
ihr	erschräk et	würdet erschrecken	wär(e)t erschrocken
sie/Sie	erschräk en	würden erschrecken	wären erschrocken

25 fahren* fährt – fuhr – ist gefahren

Ich fahre mit dem Bus zur Arbeit.

Indikativ

	Präsens	Imperfekt	Perfekt	Plusquamperfekt
ich	fahr e	fuhr	bin gefahren	war gefahren
du	fähr st	fuhr st	bist gefahren	warst gefahren
er/sie/es	fähr t	fuhr	ist gefahren	war gefahren
wir	fahr en	fuhr en	sind gefahren	waren gefahren
ihr	fahr t	fuhr t	seid gefahren	wart gefahren
sie/Sie	fahr en	fuhr en	sind gefahren	waren gefahren

	Futur I	Futur II	Imperativ	Infinitiv
ich	werde fahren	werde gefahren sein	–	**Präs.:** fahren
du	wirst fahren	wirst gefahren sein	fahr	**Perf.:** gefahren
er/sie/es	wird fahren	wird gefahren sein	–	sein
wir	werden fahren	werden gefahren sein	fahr en wir	**Partizip**
ihr	werdet fahren	werdet gefahren sein	fahr t	**Präs.:** fahrend
sie/Sie	werden fahren	werden gefahren sein	fahr en Sie	**Perf.:** gefahren

Konjunktiv

Konjunktiv I

	Gegenwart	Vergangenheit	Zukunft	
ich	fahr e	sei gefahren	werde fahren	werde gefahren sein
du	fahr est	sei(e)st gefahren	werdest fahren	werdest gefahren sein
er/sie/es	fahr e	sei gefahren	werde fahren	werde gefahren sein
wir	fahr en	seien gefahren	werden fahren	werden gefahren sein
ihr	fahr et	seiet gefahren	werdet fahren	werdet gefahren sein
sie/Sie	fahr en	seien gefahren	werden fahren	werden gefahren sein

Konjunktiv II

	Gegenwart / Zukunft		Vergangenheit
ich	führ e	würde fahren	wäre gefahren
du	führ est	würdest fahren	wär(e)st gefahren
er/sie/es	führ e	würde fahren	wäre gefahren
wir	führ en	würden fahren	wären gefahren
ihr	führ et	würdet fahren	wär(e)t gefahren
sie/Sie	führ en	würden fahren	wären gefahren

Ebenso:

abfahren (ist)	weiterfahren (ist)
erfahren	verfahren (ist)
mitfahren (ist)	sich verfahren

26 fallen* fällt – fiel – ist gefallen

Heute Nacht sind dreißig Zentimeter Schnee gefallen.

Indikativ

	Präsens	Imperfekt	Perfekt	Plusquamperfekt
ich	fall e	fiel	bin gefallen	war gefallen
du	fäll st	fiel st	bist gefallen	warst gefallen
er/sie/es	fäll t	fiel	ist gefallen	war gefallen
wir	fall en	fiel en	sind gefallen	waren gefallen
ihr	fall t	fiel t	seid gefallen	wart gefallen
sie/Sie	fall en	fiel en	sind gefallen	waren gefallen

	Futur I	Futur II	Imperativ	Infinitiv
ich	werde fallen	werde gefallen sein	–	**Präs.:** fallen
du	wirst fallen	wirst gefallen sein	fall	**Perf.:** gefallen sein
er/sie/es	wird fallen	wird gefallen sein	–	
wir	werden fallen	werden gefallen sein	fall en wir	**Partizip**
ihr	werdet fallen	werdet gefallen sein	fall t	**Präs.:** fallend
sie/Sie	werden fallen	werden gefallen sein	fall en Sie	**Perf.:** gefallen

Konjunktiv

Konjunktiv I

	Gegenwart	Vergangenheit	Zukunft	
ich	fall e	sei gefallen	werde fallen	werde gefallen sein
du	fall est	sei(e)st gefallen	werdest fallen	werdest gefallen sein
er/sie/es	fall e	sei gefallen	werde fallen	werde gefallen sein
wir	fall en	seien gefallen	werden fallen	werden gefallen sein
ihr	fall et	seiet gefallen	werdet fallen	werdet gefallen sein
sie/Sie	fall en	seien gefallen	werden fallen	werden gefallen sein

Konjunktiv II

	Gegenwart / Zukunft		Vergangenheit
ich	fiel e	würde fallen	wäre gefallen
du	fiel est	würdest fallen	wär(e)st gefallen
er/sie/es	fiel e	würde fallen	wäre gefallen
wir	fiel en	würden fallen	wären gefallen
ihr	fiel et	würdet fallen	wär(e)t gefallen
sie/Sie	fiel en	würden fallen	wären gefallen

Ebenso:		
anfallen	entfallen (ist)	überfallen
auffallen (ist)	gefallen	verfallen (ist)
befallen	missfallen	wegfallen (ist)

27 fangen fängt – fing – hat gefangen

Unsere Katze hat gestern eine Maus gefangen.

Indikativ

	Präsens	Imperfekt	Perfekt	Plusquamperfekt
ich	fang e	fing	habe gefangen	hatte gefangen
du	fäng st	fing st	hast gefangen	hattest gefangen
er/sie/es	fäng t	fing	hat gefangen	hatte gefangen
wir	fang en	fing en	haben gefangen	hatten gefangen
ihr	fang t	fing t	habt gefangen	hattet gefangen
sie/Sie	fang en	fing en	haben gefangen	hatten gefangen

	Futur I	Futur II	Imperativ	Infinitiv
ich	werde fangen	werde gefangen haben	–	**Präs.:** fangen
du	wirst fangen	wirst gefangen haben	fang	**Perf.:** gefangen
er/sie/es	wird fangen	wird gefangen haben	–	haben
wir	werden fangen	werden gefangen haben	fang en wir	**Partizip**
ihr	werdet fangen	werdet gefangen haben	fang t	**Präs.:** fangend
sie/Sie	werden fangen	werden gefangen haben	fang en Sie	**Perf.:** gefangen

Konjunktiv

Konjunktiv I

	Gegenwart	Vergangenheit	Zukunft	
ich	fang e	habe gefangen	werde fangen	werde gefangen haben
du	fang est	habest gefangen	werdest fangen	werdest gefangen haben
er/sie/es	fang e	habe gefangen	werde fangen	werde gefangen haben
wir	fang en	haben gefangen	werden fangen	werden gefangen haben
ihr	fang et	habet gefangen	werdet fangen	werdet gefangen haben
sie/Sie	fang en	haben gefangen	werden fangen	werden gefangen haben

Konjunktiv II

	Gegenwart / Zukunft		Vergangenheit
ich	fing e	würde fangen	hätte gefangen
du	fing est	würdest fangen	hättest gefangen
er/sie/es	fing e	würde fangen	hätte gefangen
wir	fing en	würden fangen	hätten gefangen
ihr	fing et	würdet fangen	hättet gefangen
sie/Sie	fing en	würden fangen	hätten gefangen

Ebenso:	
abfangen	einfangen
anfangen	empfangen
auffangen	sich verfangen

28 finden* findet – fand – hat gefunden

Ich finde meine Schlüssel nicht mehr.

Indikativ

	Präsens	Imperfekt	Perfekt	Plusquamperfekt
ich	find e	fand	habe gefunden	hatte gefunden
du	find est	fand st	hast gefunden	hattest gefunden
er/sie/es	find et	fand	hat gefunden	hatte gefunden
wir	find en	fand en	haben gefunden	hatten gefunden
ihr	find et	fand et	habt gefunden	hattet gefunden
sie/Sie	find en	fand en	haben gefunden	hatten gefunden

	Futur I	Futur II	Imperativ	Infinitiv
ich	werde finden	werde gefunden haben	–	**Präs.:** finden
du	wirst finden	wirst gefunden haben	find e	**Perf.:** gefunden haben
er/sie/es	wird finden	wird gefunden haben	–	
wir	werden finden	werden gefunden haben	find en wir	**Partizip**
ihr	werdet finden	werdet gefunden haben	find et	**Präs.:** findend
sie/Sie	werden finden	werden gefunden haben	find en Sie	**Perf.:** gefunden

Konjunktiv

Konjunktiv I

	Gegenwart	Vergangenheit	Zukunft	
ich	find e	habe gefunden	werde finden	werde gefunden haben
du	find est	habest gefunden	werdest finden	werdest gefunden haben
er/sie/es	find e	habe gefunden	werde finden	werde gefunden haben
wir	find en	haben gefunden	werden finden	werden gefunden haben
ihr	find et	habet gefunden	werdet finden	werdet gefunden haben
sie/Sie	find en	haben gefunden	werden finden	werden gefunden haben

Konjunktiv II

	Gegenwart / Zukunft		Vergangenheit
ich	fänd e	würde finden	hätte gefunden
du	fänd est	würdest finden	hättest gefunden
er/sie/es	fänd e	würde finden	hätte gefunden
wir	fänd en	würden finden	hätten gefunden
ihr	fänd et	würdet finden	hättet gefunden
sie/Sie	fänd en	würden finden	hätten gefunden

Ebenso:

empfinden	**binden**	**winden**	**schwinden** (ist)
erfinden	einbinden	überwinden	entschwinden (ist)
vorfinden	verbinden	verwinden	verschwinden (ist)

29 fliegen* fliegt – flog – ist geflogen

Ich fliege morgen nach New York.

Indikativ

	Präsens	Imperfekt	Perfekt	Plusquamperfekt
ich	flieg e	flog	bin geflogen	war geflogen
du	flieg st	flog st	bist geflogen	warst geflogen
er/sie/es	flieg t	flog	ist geflogen	war geflogen
wir	flieg en	flog en	sind geflogen	waren geflogen
ihr	flieg t	flog t	seid geflogen	wart geflogen
sie/Sie	flieg en	flog en	sind geflogen	waren geflogen

	Futur I	Futur II	Imperativ	Infinitiv
ich	werde fliegen	werde geflogen sein	–	**Präs.:** fliegen
du	wirst fliegen	wirst geflogen sein	flieg	**Perf.:** geflogen
er/sie/es	wird fliegen	wird geflogen sein	–	sein
wir	werden fliegen	werden geflogen sein	flieg en wir	**Partizip**
ihr	werdet fliegen	werdet geflogen sein	flieg t	**Präs.:** fliegend
sie/Sie	werden fliegen	werden geflogen sein	flieg en Sie	**Perf.:** geflogen

Konjunktiv

Konjunktiv I

	Gegenwart	Vergangenheit	Zukunft	
ich	flieg e	sei geflogen	werde fliegen	werde geflogen sein
du	flieg est	sei(e)stgeflogen	werdest fliegen	werdest geflogen sein
er/sie/es	flieg e	sei geflogen	werde fliegen	werde geflogen sein
wir	flieg en	seien geflogen	werden fliegen	werden geflogen sein
ihr	flieg et	seiet geflogen	werdet fliegen	werdet geflogen sein
sie/Sie	flieg en	seien geflogen	werden fliegen	werden geflogen sein

Konjunktiv II

	Gegenwart / Zukunft		Vergangenheit
ich	flög e	würde fliegen	wäre geflogen
du	flög est	würdest fliegen	wär(e)st geflogen
er/sie/es	flög e	würde fliegen	wäre geflogen
wir	flög en	würden fliegen	wären geflogen
ihr	flög et	würdet fliegen	wär(e)t geflogen
sie/Sie	flög en	würden fliegen	wären geflogen

Ebenso:					
abfliegen (ist)	**biegen**	**wiegen**	**schieben**	**stieben** (ist)	**fliehen** (ist)
auffliegen (ist)	einbiegen (ist)	abwiegen	aufschieben		entfliehen (ist)
wegfliegen (ist)	verbiegen	**erwägen**	verschieben		

30 geben* gibt – gab – hat gegeben

Gib mir deine Hand.

Indikativ

	Präsens	Imperfekt	Perfekt	Plusquamperfekt
ich	geb e	gab	habe gegeben	hatte gegeben
du	gib st	gab st	hast gegeben	hattest gegeben
er/sie/es	gib t	gab	hat gegeben	hatte gegeben
wir	geb en	gab en	haben gegeben	hatten gegeben
ihr	geb t	gab t	habt gegeben	hattet gegeben
sie/Sie	geb en	gab en	haben gegeben	hatten gegeben

	Futur I	Futur II	Imperativ	Infinitiv
ich	werde geben	werde gegeben haben	–	**Präs.:** geben
du	wirst geben	wirst gegeben haben	gib	**Perf.:** gegeben
er/sie/es	wird geben	wird gegeben haben	–	haben
wir	werden geben	werden gegeben haben	geb en wir	**Partizip**
ihr	werdet geben	werdet gegeben haben	geb t	**Präs.:** gebend
sie/Sie	werden geben	werden gegeben haben	geb en Sie	**Perf.:** gegeben

Konjunktiv

Konjunktiv I

	Gegenwart	Vergangenheit	Zukunft	
ich	geb e	habe gegeben	werde geben	werde gegeben haben
du	geb est	habest gegeben	werdest geben	werdest gegeben haben
er/sie/es	geb e	habe gegeben	werde geben	werde gegeben haben
wir	geb en	haben gegeben	werden geben	werden gegeben haben
ihr	geb et	habet gegeben	werdet geben	werdet gegeben haben
sie/Sie	geb en	haben gegeben	werden geben	werden gegeben haben

Konjunktiv II

	Gegenwart / Zukunft		Vergangenheit
ich	gäb e	würde geben	hätte gegeben
du	gäb est	würdest geben	hättest gegeben
er/sie/es	gäb e	würde geben	hätte gegeben
wir	gäb en	würden geben	hätten gegeben
ihr	gäb et	würdet geben	hättet gegeben
sie/Sie	gäb en	würden geben	hätten gegeben

Ebenso:

angeben	hergeben	übergeben
ausgeben	mitgeben	vergeben
sich begeben	nachgeben	zugeben

31 gehen* geht – ging – ist gegangen

Sie geht immer zu Fuß nach Hause.

Indikativ

	Präsens	Imperfekt	Perfekt	Plusquamperfekt
ich	geh e	ging	bin gegangen	war gegangen
du	geh st	ging st	bist gegangen	warst gegangen
er/sie/es	geh t	ging	ist gegangen	war gegangen
wir	geh en	ging en	sind gegangen	waren gegangen
ihr	geh t	ging t	seid gegangen	wart gegangen
sie/Sie	geh en	ging en	sind gegangen	waren gegangen

	Futur I	Futur II	Imperativ	Infinitiv
ich	werde gehen	werde gegangen sein	–	**Präs.:** gehen
du	wirst gehen	wirst gegangen sein	geh	**Perf.:** gegangen
er/sie/es	wird gehen	wird gegangen sein	–	sein
wir	werden gehen	werden gegangen sein	geh en wir	**Partizip**
ihr	werdet gehen	werdet gegangen sein	geh t	**Präs.:** gehend
sie/Sie	werden gehen	werden gegangen sein	geh en Sie	**Perf.:** gegangen

Konjunktiv

Konjunktiv I

	Gegenwart	Vergangenheit	Zukunft	
ich	geh e	sei gegangen	werde gehen	werde gegangen sein
du	geh est	sei(e)st gegangen	werdest gehen	werdest gegangen sein
er/sie/es	geh e	sei gegangen	werde gehen	werde gegangen sein
wir	geh en	seien gegangen	werden gehen	werden gegangen sein
ihr	geh et	seiet gegangen	werdet gehen	werdet gegangen sein
sie/Sie	geh en	seien gegangen	werden gehen	werden gegangen sein

Konjunktiv II

	Gegenwart / Zukunft		Vergangenheit
ich	ging e	würde gehen	wäre gegangen
du	ging est	würdest gehen	wär(e)st gegangen
er/sie/es	ging e	würde gehen	wäre gegangen
wir	ging en	würden gehen	wären gegangen
ihr	ging et	würdet gehen	wär(e)t gegangen
sie/Sie	ging en	würden gehen	wären gegangen

Ebenso:

angehen (ist)	begehen	hintergehen	untergehen (ist)
aufgehen (ist)	entgehen (ist)	übergehen	vergehen (ist)
ausgehen (ist)	eingehen (ist)	umgehen (ist)	weggehen (ist)

32 gelten* gilt – galt – hat gegolten

Die Fahrkarte gilt nicht für diesen Zug.

Indikativ

	Präsens	Imperfekt	Perfekt	Plusquamperfekt
ich	gelt e	galt	habe gegolten	hatte gegolten
du	gilt st	galt (e)st	hast gegolten	hattest gegolten
er/sie/es	gilt	galt	hat gegolten	hatte gegolten
wir	gelt en	galt en	haben gegolten	hatten gegolten
ihr	gelt et	galt t	habt gegolten	hattet gegolten
sie/Sie	gelt en	galt en	haben gegolten	hatten gegolten

	Futur I	Futur II	Imperativ	Infinitiv
ich	werde gelten	werde gegolten haben		**Präs.:** gelten
du	wirst gelten	wirst gegolten haben	(gelt e)	**Perf.:** gegolten
er/sie/es	wird gelten	wird gegolten haben		haben
wir	werden gelten	werden gegolten haben	(gelt en wir)	**Partizip**
ihr	werdet gelten	werdet gegolten haben	(gelt et)	**Präs.:** geltend
sie/Sie	werden gelten	werden gegolten haben	(gelt en Sie)	**Perf.:** gegolten

Konjunktiv

Konjunktiv I

	Gegenwart	Vergangenheit	Zukunft	
ich	gelt e	habe gegolten	werde gelten	werde gegolten haben
du	gelt est	habest gegolten	werdest gelten	werdest gegolten haben
er/sie/es	gelt e	habe gegolten	werde gelten	werde gegolten haben
wir	gelt en	haben gegolten	werden gelten	werden gegolten haben
ihr	gelt et	habet gegolten	werdet gelten	werdet gegolten haben
sie/Sie	gelt en	haben gegolten	werden gelten	werden gegolten haben

Konjunktiv II

	Gegenwart / Zukunft		Vergangenheit
ich	gält e	würde gelten	hätte gegolten
du	gält est	würdest gelten	hättest gegolten
er/sie/es	gält e	würde gelten	hätte gegolten
wir	gält en	würden gelten	hätten gegolten
ihr	gält et	würdet gelten	hättet gegolten
sie/Sie	gält en	würden gelten	hätten gegolten

Ebenso:

vergelten **schelten**

33 gleichen gleicht – glich – hat geglichen

Er gleicht seinem Vater.

Indikativ

	Präsens	Imperfekt	Perfekt	Plusquamperfekt
ich	gleich e	glich	habe geglichen	hatte geglichen
du	gleich st	glich st	hast geglichen	hattest geglichen
er/sie/es	gleich t	glich	hat geglichen	hatte geglichen
wir	gleich en	glich en	haben geglichen	hatten geglichen
ihr	gleich t	glich t	habt geglichen	hattet geglichen
sie/Sie	gleich en	glich en	haben geglichen	hatten geglichen

	Futur I	Futur II	Imperativ	Infinitiv
ich	werde gleichen	werde geglichen haben	–	**Präs.:** gleichen
du	wirst gleichen	wirst geglichen haben	(gleich)	**Perf.:** geglichen
er/sie/es	wird gleichen	wird geglichen haben	–	haben
wir	werden gleichen	werden geglichen haben	(gleich en wir)	**Partizip**
ihr	werdet gleichen	werdet geglichen haben	(gleich t)	**Präs.:** gleichend
sie/Sie	werden gleichen	werden geglichen haben	(gleich en Sie)	**Perf.:** geglichen

Konjunktiv

Konjunktiv I

	Gegenwart	Vergangenheit	Zukunft	
ich	gleich e	habe geglichen	werde gleichen	werde geglichen haben
du	gleich est	habest geglichen	werdest gleichen	werdest geglichen haben
er/sie/es	gleich e	habe geglichen	werde gleichen	werde geglichen haben
wir	gleich en	haben geglichen	werden gleichen	werden geglichen haben
ihr	gleich et	habet geglichen	werdet gleichen	werdet geglichen haben
sie/Sie	gleich en	haben geglichen	werden gleichen	werden geglichen haben

Konjunktiv II

	Gegenwart / Zukunft		Vergangenheit
ich	glich e	würde gleichen	hätte geglichen
du	glich est	würdest gleichen	hättest geglichen
er/sie/es	glich e	würde gleichen	hätte geglichen
wir	glich en	würden gleichen	hätten geglichen
ihr	glich et	würdet gleichen	hättet geglichen
sie/Sie	glich en	würden gleichen	hätten geglichen

Ebenso:				
ausgleichen	**bleichen** (ist)	**schleichen** (ist)	**streichen**	**weichen** (ist)
begleichen	ausbleichen (ist)	erschleichen	unterstreichen	abweichen (ist)
vergleichen	verbleichen (ist)	wegschleichen (ist)	verstreichen (hat/ist)	ausgewichen (ist)

34 greifen greift – griff – hat gegriffen

Ich greife gern zu einem guten Buch.

Indikativ

	Präsens	Imperfekt	Perfekt	Plusquamperfekt
ich	greif e	griff	habe gegriffen	hatte gegriffen
du	greif st	griff st	hast gegriffen	hattest gegriffen
er/sie/es	greif t	griff	hat gegriffen	hatte gegriffen
wir	greif en	griff en	haben gegriffen	hatten gegriffen
ihr	greif t	griff t	habt gegriffen	hattet gegriffen
sie/Sie	greif en	griff en	haben gegriffen	hatten gegriffen

	Futur I	Futur II	Imperativ	Infinitiv
ich	werde greifen	werde gegriffen haben	–	**Präs.:** greifen
du	wirst greifen	wirst gegriffen haben	greif	**Perf.:** gegriffen
er/sie/es	wird greifen	wird gegriffen haben	–	haben
wir	werden greifen	werden gegriffen haben	greif en wir	**Partizip**
ihr	werdet greifen	werdet gegriffen haben	greif t	**Präs.:** greifend
sie/Sie	werden greifen	werden gegriffen haben	greif en Sie	**Perf.:** gegriffen

Konjunktiv

Konjunktiv I

	Gegenwart	Vergangenheit	Zukunft	
ich	greif e	habe gegriffen	werde greifen	werde gegriffen haben
du	greif est	habest gegriffen	werdest greifen	werdest gegriffen haben
er/sie/es	greif e	habe gegriffen	werde greifen	werde gegriffen haben
wir	greif en	haben gegriffen	werden greifen	werden gegriffen haben
ihr	greif et	habet gegriffen	werdet greifen	werdet gegriffen haben
sie/Sie	greif en	haben gegriffen	werden greifen	werden gegriffen haben

Konjunktiv II

	Gegenwart / Zukunft		Vergangenheit
ich	griff e	würde greifen	hätte gegriffen
du	griff est	würdest greifen	hättest gegriffen
er/sie/es	griff e	würde greifen	hätte gegriffen
wir	griff en	würden greifen	hätten gegriffen
ihr	griff et	würdet greifen	hättet gegriffen
sie/Sie	griff en	würden greifen	hätten gegriffen

Ebenso:

begreifen	**kneifen**	**pfeifen**	**schleifen** (hat/ist)
ergreifen	verkneifen	anpfeifen	abschleifen (hat/ist)
zugreifen		abpfeifen	

35 halten* hält – hielt – hat gehalten

Der Bus hält direkt vor der Schule.

Indikativ

	Präsens	Imperfekt	Perfekt	Plusquamperfekt
ich	halt e	hielt	habe gehalten	hatte gehalten
du	hält st	hielt st	hast gehalten	hattest gehalten
er/sie/es	hält	hielt	hat gehalten	hatte gehalten
wir	halt en	hielt en	haben gehalten	hatten gehalten
ihr	halt et	hielt et	habt gehalten	hattet gehalten
sie/Sie	halt en	hielt en	haben gehalten	hatten gehalten

	Futur I	Futur II	Imperativ	Infinitiv
ich	werde halten	werde gehalten haben	–	**Präs.:** halten
du	wirst halten	wirst gehalten haben	halt e	**Perf.:** gehalten
er/sie/es	wird halten	wird gehalten haben	–	haben
wir	werden halten	werden gehalten haben	halt en wir	**Partizip**
ihr	werdet halten	werdet gehalten haben	halt et	**Präs.:** haltend
sie/Sie	werden halten	werden gehalten haben	halt en Sie	**Perf.:** gehalten

Konjunktiv

Konjunktiv I

	Gegenwart	Vergangenheit	Zukunft	
ich	halt e	habe gehalten	werde halten	werde gehalten haben
du	halt est	habest gehalten	werdest halten	werdest gehalten haben
er/sie/es	halt e	habe gehalten	werde halten	werde gehalten haben
wir	halt en	haben gehalten	werden halten	werden gehalten haben
ihr	halt et	habet gehalten	werdet halten	werdet gehalten haben
sie/Sie	halt en	haben gehalten	werden halten	werden gehalten haben

Konjunktiv II

	Gegenwart / Zukunft		Vergangenheit
ich	hielt e	würde halten	hätte gehalten
du	hielt est	würdest halten	hättest gehalten
er/sie/es	hielt e	würde halten	hätte gehalten
wir	hielt en	würden halten	hätten gehalten
ihr	hielt et	würdet halten	hättet gehalten
sie/Sie	hielt en	würden halten	hätten gehalten

Ebenso:

abhalten	behalten	erhalten	sich verhalten
anhalten	enthalten	unterhalten	

36 hängen* hängt – hing – hat gehangen

Die neue Jacke hängt an der Garderobe.

Indikativ

	Präsens	Imperfekt	Perfekt	Plusquamperfekt
ich	häng e	hing	habe gehangen	hatte gehangen
du	häng st	hing st	hast gehangen	hattest gehangen
er/sie/es	häng t	hing	hat gehangen	hatte gehangen
wir	häng en	hing en	haben gehangen	hatten gehangen
ihr	häng t	hing t	habt gehangen	hattet gehangen
sie/Sie	häng en	hing en	haben gehangen	hatten gehangen

	Futur I	Futur II	Imperativ	Infinitiv
ich	werde hängen	werde gehangen haben	–	**Präs.:** hängen
du	wirst hängen	wirst gehangen haben	häng	**Perf.:** gehangen
er/sie/es	wird hängen	wird gehangen haben	–	haben
wir	werden hängen	werden gehangen haben	häng en wir	**Partizip**
ihr	werdet hängen	werdet gehangen haben	häng t	**Präs.:** hängend
sie/Sie	werden hängen	werden gehangen haben	häng en Sie	**Perf.:** gehangen

Konjunktiv

Konjunktiv I

	Gegenwart	Vergangenheit	Zukunft	
ich	häng e	habe gehangen	werde hängen	werde gehangen haben
du	häng est	habest gehangen	werdest hängen	werdest gehangen haben
er/sie/es	häng e	habe gehangen	werde hängen	werde gehangen haben
wir	häng en	haben gehangen	werden hängen	werden gehangen haben
ihr	häng et	habet gehangen	werdet hängen	werdet gehangen haben
sie/Sie	häng en	haben gehangen	werden hängen	werden gehangen haben

Konjunktiv II

	Gegenwart / Zukunft		Vergangenheit
ich	hing e	würde hängen	hätte gehangen
du	hing est	würdest hängen	hättest gehangen
er/sie/es	hing e	würde hängen	hätte gehangen
wir	hing en	würden hängen	hätten gehangen
ihr	hing et	würdet hängen	hättet gehangen
sie/Sie	hing en	würden hängen	hätten gehangen

Ebenso:

anhängen verhängen
durchhängen

37 heben* hebt – hob – hat gehoben

Das Kind kann den schweren Koffer allein nicht heben.

Indikativ

	Präsens	Imperfekt	Perfekt	Plusquamperfekt
ich	heb e	hob	habe gehoben	hatte gehoben
du	heb st	hob st	hast gehoben	hattest gehoben
er/sie/es	heb t	hob	hat gehoben	hatte gehoben
wir	heb en	hob en	haben gehoben	hatten gehoben
ihr	heb t	hob t	habt gehoben	hattet gehoben
sie/Sie	heb en	hob en	haben gehoben	hatten gehoben

	Futur I	Futur II	Imperativ	Infinitiv
ich	werde heben	werde gehoben haben	–	**Präs.:** heben
du	wirst heben	wirst gehoben haben	heb	**Perf.:** gehoben
er/sie/es	wird heben	wird gehoben haben	–	haben
wir	werden heben	werden gehoben haben	heb en wir	**Partizip**
ihr	werdet heben	werdet gehoben haben	heb t	**Präs.:** hebend
sie/Sie	werden heben	werden gehoben haben	heb en Sie	**Perf.:** gehoben

Konjunktiv

Konjunktiv I

	Gegenwart	Vergangenheit	Zukunft	
ich	heb e	habe gehoben	werde heben	werde gehoben haben
du	heb est	habest gehoben	werdest heben	werdest gehoben haben
er/sie/es	heb e	habe gehoben	werde heben	werde gehoben haben
wir	heb en	haben gehoben	werden heben	werden gehoben haben
ihr	heb et	habet gehoben	werdet heben	werdet gehoben haben
sie/Sie	heb en	haben gehoben	werden heben	werden gehoben haben

Konjunktiv II

	Gegenwart / Zukunft		Vergangenheit
ich	höb e	würde heben	hätte gehoben
du	höb est	würdest heben	hättest gehoben
er/sie/es	höb e	würde heben	hätte gehoben
wir	höb en	würden heben	hätten gehoben
ihr	höb et	würdet heben	hättet gehoben
sie/Sie	höb en	würden heben	hätten gehoben

Ebenso:

abheben	beheben	**weben**	**bewegen**	**scheren**
aufheben	erheben	verweben		

38 heißen* heißt – hieß – hat geheißen

Wir heißen Susanne und Sabine.

Indikativ

	Präsens	Imperfekt	Perfekt	Plusquamperfekt
ich	heiß e	hieß	habe geheißen	hatte geheißen
du	heiß t	hieß t	hast geheißen	hattest geheißen
er/sie/es	heiß t	hieß	hat geheißen	hatte geheißen
wir	heiß en	hieß en	haben geheißen	hatten geheißen
ihr	heiß t	hieß t	habt geheißen	hattet geheißen
sie/Sie	heiß en	hieß en	haben geheißen	hatten geheißen

	Futur I	Futur II	Imperativ	Infinitiv
ich	werde heißen	werde geheißen haben		**Präs.:** heißen
du	wirst heißen	wirst geheißen haben	heiß	**Perf.:** geheißen haben
er/sie/es	wird heißen	wird geheißen haben		
wir	werden heißen	werden geheißen haben	heiß en wir	**Partizip**
ihr	werdet heißen	werdet geheißen haben	heiß t	**Präs.:** heißend
sie/Sie	werden heißen	werden geheißen haben	heiß en Sie	**Perf.:** geheißen

Konjunktiv

Konjunktiv I

	Gegenwart	Vergangenheit	Zukunft	
ich	heiß e	habe geheißen	werde heißen	werde geheißen haben
du	heiß est	habest geheißen	werdest heißen	werdest geheißen haben
er/sie/es	heiß e	habe geheißen	werde heißen	werde geheißen haben
wir	heiß en	haben geheißen	werden heißen	werden geheißen haben
ihr	heiß et	habet geheißen	werdet heißen	werdet geheißen haben
sie/Sie	heiß en	haben geheißen	werden heißen	werden geheißen haben

Konjunktiv II

	Gegenwart / Zukunft		Vergangenheit
ich	hieß e	würde heißen	hätte geheißen
du	hieß est	würdest heißen	hättest geheißen
er/sie/es	hieß e	würde heißen	hätte geheißen
wir	hieß en	würden heißen	hätten geheißen
ihr	hieß et	würdet heißen	hättet geheißen
sie/Sie	hieß en	würden heißen	hätten geheißen

Ebenso:
verheißen

39 helfen* hilft – half – hat geholfen

Mein Kollege hilft mir bei allen Problemen.

Indikativ

	Präsens	Imperfekt	Perfekt	Plusquamperfekt
ich	helf e	half	habe geholfen	hatte geholfen
du	hilf st	half st	hast geholfen	hattest geholfen
er/sie/es	hilf t	half	hat geholfen	hatte geholfen
wir	helf en	half en	haben geholfen	hatten geholfen
ihr	helf t	half t	habt geholfen	hattet geholfen
sie/Sie	helf en	half en	haben geholfen	hatten geholfen

	Futur I	Futur II	Imperativ	Infinitiv
ich	werde helfen	werde geholfen haben	–	**Präs.:** helfen
du	wirst helfen	wirst geholfen haben	hilf	**Perf.:** geholfen
er/sie/es	wird helfen	wird geholfen haben	–	haben
wir	werden helfen	werden geholfen haben	helf en wir	**Partizip**
ihr	werdet helfen	werdet geholfen haben	helf t	**Präs.:** helfend
sie/Sie	werden helfen	werden geholfen haben	helf en Sie	**Perf.:** geholfen

Konjunktiv

Konjunktiv I

	Gegenwart	Vergangenheit	Zukunft	
ich	helf e	habe geholfen	werde helfen	werde geholfen haben
du	helf est	habest geholfen	werdest helfen	werdest geholfen haben
er/sie/es	helf e	habe geholfen	werde helfen	werde geholfen haben
wir	helf en	haben geholfen	werden helfen	werden geholfen haben
ihr	helf et	habet geholfen	werdet helfen	werdet geholfen haben
sie/Sie	helf en	haben geholfen	werden helfen	werden geholfen haben

Konjunktiv II

	Gegenwart / Zukunft		Vergangenheit
ich	hülf e	würde helfen	hätte geholfen
du	hülf est	würdest helfen	hättest geholfen
er/sie/es	hülf e	würde helfen	hätte geholfen
wir	hülf en	würden helfen	hätten geholfen
ihr	hülf et	würdet helfen	hättet geholfen
sie/Sie	hülf en	würden helfen	hätten geholfen

Ebenso:

aushelfen	**werfen**	verwerfen
sich behelfen	einwerfen	vorwerfen
mithelfen	entwerfen	wegwerfen

40 kennen* kennt – kannte – hat gekannt

Ich kenne meine Freundin seit zwanzig Jahren.

Indikativ

	Präsens	Imperfekt	Perfekt	Plusquamperfekt
ich	kenn e	kann te	habe gekannt	hatte gekannt
du	kenn st	kann test	hast gekannt	hattest gekannt
er/sie/es	kenn t	kann te	hat gekannt	hatte gekannt
wir	kenn en	kann ten	haben gekannt	hatten gekannt
ihr	kenn t	kann tet	habt gekannt	hattet gekannt
sie/Sie	kenn en	kann ten	haben gekannt	hatten gekannt

	Futur I	Futur II	Imperativ	Infinitiv
ich	werde kennen	werde gekannt haben	–	**Präs.:** kennen
du	wirst kennen	wirst gekannt haben	(kenn)	**Perf.:** gekannt
er/sie/es	wird kennen	wird gekannt haben	–	haben
wir	werden kennen	werden gekannt haben	(kenn en wir)	**Partizip**
ihr	werdet kennen	werdet gekannt haben	(kenn t)	**Präs.:** kennend
sie/Sie	werden kennen	werden gekannt haben	(kenn en Sie)	**Perf.:** gekannt

Konjunktiv

Konjunktiv I

	Gegenwart	Vergangenheit	Zukunft	
ich	kenn e	habe gekannt	werde kennen	werde gekannt haben
du	kenn est	habest gekannt	werdest kennen	werdest gekannt haben
er/sie/es	kenn e	habe gekannt	werde kennen	werde gekannt haben
wir	kenn en	haben gekannt	werden kennen	werden gekannt haben
ihr	kenn et	habet gekannt	werdet kennen	werdet gekannt haben
sie/Sie	kenn en	haben gekannt	werden kennen	werden gekannt haben

Konjunktiv II

	Gegenwart / Zukunft		Vergangenheit
ich	kennt e	würde kennen	hätte gekannt
du	kennt est	würdest kennen	hättest gekannt
er/sie/es	kennt e	würde kennen	hätte gekannt
wir	kennt en	würden kennen	hätten gekannt
ihr	kennt et	würdet kennen	hättet gekannt
sie/Sie	kennt en	würden kennen	hätten gekannt

Ebenso:				
anerkennen	erkennen	**brennen**	**nennen**	**rennen** (ist)
sich auskennen	verkennen	abbrennen	benennen	wegrennen (ist)
	bekennen	verbrennen	ernennen	

41 kommen* kommt – kam – ist gekommen

Kinue kommt aus Japan.

Indikativ

	Präsens	Imperfekt	Perfekt	Plusquamperfekt
ich	komm e	kam	bin gekommen	war gekommen
du	komm st	kam st	bist gekommen	warst gekommen
er/sie/es	komm t	kam	ist gekommen	war gekommen
wir	komm en	kam en	sind gekommen	waren gekommen
ihr	komm t	kam t	seid gekommen	wart gekommen
sie/Sie	komm en	kam en	sind gekommen	waren gekommen

	Futur I	Futur II	Imperativ	Infinitiv
ich	werde kommen	werde gekommen sein	–	**Präs.:** kommen
du	wirst kommen	wirst gekommen sein	komm	**Perf.:** gekommen
er/sie/es	wird kommen	wird gekommen sein	–	sein
wir	werden kommen	werden gekommen sein	komm en wir	**Partizip**
ihr	werdet kommen	werdet gekommen sein	komm t	**Präs.:** kommend
sie/Sie	werden kommen	werden gekommen sein	komm en Sie	**Perf.:** gekommen

Konjunktiv

Konjunktiv I

	Gegenwart	Vergangenheit	Zukunft	
ich	komm e	sei gekommen	werde kommen	werde gekommen sein
du	komm est	sei(e)st gekommen	werdest kommen	werdest gekommen sein
er/sie/es	komm e	sei gekommen	werde kommen	werde gekommen sein
wir	komm en	seien gekommen	werden kommen	werden gekommen sein
ihr	komm et	seiet gekommen	werdet kommen	werdet gekommen sein
sie/Sie	komm en	seien gekommen	werden kommen	werden gekommen sein

Konjunktiv II

	Gegenwart / Zukunft		Vergangenheit
ich	käm e	würde kommen	wäre gekommen
du	käm est	würdest kommen	wär(e)st gekommen
er/sie/es	käm e	würde kommen	wäre gekommen
wir	käm en	würden kommen	wären gekommen
ihr	käm et	würdet kommen	wär(e)t gekommen
sie/Sie	käm en	würden kommen	wären gekommen

Ebenso:				
ankommen (ist)	bekommen	nachkommen (ist)	unterkommen (ist)	vorkommen (ist)
auskommen (ist)	mitkommen (ist)	umkommen (ist)	verkommen (ist)	wiederkommen (ist)

42 laden lädt – lud – hat geladen

Ich muss noch die Koffer ins Auto laden.

Indikativ

	Präsens	Imperfekt	Perfekt	Plusquamperfekt
ich	lad e	lud	habe geladen	hatte geladen
du	läd st	lud st	hast geladen	hattest geladen
er/sie/es	läd t	lud	hat geladen	hatte geladen
wir	lad en	lud en	haben geladen	hatten geladen
ihr	lad et	lud et	habt geladen	hattet geladen
sie/Sie	lad en	lud en	haben geladen	hatten geladen

	Futur I	Futur II	Imperativ	Infinitiv
ich	werde laden	werde geladen haben	–	**Präs.:** laden
du	wirst laden	wirst geladen haben	lad e	**Perf.:** geladen
er/sie/es	wird laden	wird geladen haben	–	haben
wir	werden laden	werden geladen haben	lad en wir	**Partizip**
ihr	werdet laden	werdet geladen haben	lad et	**Präs.:** ladend
sie/Sie	werden laden	werden geladen haben	lad en Sie	**Perf.:** geladen

Konjunktiv

Konjunktiv I

	Gegenwart	Vergangenheit	Zukunft	
ich	lad e	habe geladen	werde laden	werde geladen haben
du	lad est	habest geladen	werdest laden	werdest geladen haben
er/sie/es	lad e	habe geladen	werde laden	werde geladen haben
wir	lad en	haben geladen	werden laden	werden geladen haben
ihr	lad et	habet geladen	werdet laden	werdet geladen haben
sie/Sie	lad en	haben geladen	werden laden	werden geladen haben

Konjunktiv II

	Gegenwart / Zukunft		Vergangenheit
ich	lüd e	würde laden	hätte geladen
du	lüd est	würdest laden	hättest geladen
er/sie/es	lüd e	würde laden	hätte geladen
wir	lüd en	würden laden	hätten geladen
ihr	lüd et	würdet laden	hättet geladen
sie/Sie	lüd en	würden laden	hätten geladen

Ebenso:

ausladen	einladen	verladen
beladen	entladen	vorladen

43 lassen* lässt – ließ – hat gelassen/lassen

Er hat mich nicht in Ruhe gelassen. / Sie hat ihr Auto waschen lassen.

Indikativ

	Präsens	Imperfekt	Perfekt	Plusquamperfekt
ich	lass e	ließ	habe gelassen	hatte gelassen
du	läss t	ließ t	hast gelassen	hattest gelassen
er/sie/es	läss t	ließ	hat gelassen	hatte gelassen
wir	lass en	ließ en	haben gelassen	hatten gelassen
ihr	lass t	ließ t	habt gelassen	hattet gelassen
sie/Sie	lass en	ließ en	haben gelassen	hatten gelassen

	Futur I	Futur II	Imperativ	Infinitiv
ich	werde lassen	werde gelassen haben	–	**Präs.:** lassen
du	wirst lassen	wirst gelassen haben	lass	**Perf.:** gelassen
er/sie/es	wird lassen	wird gelassen haben	–	haben
wir	werden lassen	werden gelassen haben	lass en wir	**Partizip**
ihr	werdet lassen	werdet gelassen haben	lass t	**Präs.:** lassend
sie/Sie	werden lassen	werden gelassen haben	lass en Sie	**Perf.:** gelassen

Konjunktiv

Konjunktiv I

	Gegenwart	Vergangenheit	Zukunft	
ich	lass e	habe gelassen	werde lassen	werde gelassen haben
du	lass est	habest gelassen	werdest lassen	werdest gelassen haben
er/sie/es	lass e	habe gelassen	werde lassen	werde gelassen haben
wir	lass en	haben gelassen	werden lassen	werden gelassen haben
ihr	lass et	habet gelassen	werdet lassen	werdet gelassen haben
sie/Sie	lass en	haben gelassen	werden lassen	werden gelassen haben

Konjunktiv II

	Gegenwart / Zukunft		Vergangenheit
ich	ließ e	würde lassen	hätte gelassen
du	ließ est	würdest lassen	hättest gelassen
er/sie/es	ließ e	würde lassen	hätte gelassen
wir	ließ en	würden lassen	hätten gelassen
ihr	ließ et	würdet lassen	hättet gelassen
sie/Sie	ließ en	würden lassen	hätten gelassen

Ebenso:

anlassen	entlassen	nachlassen	unterlassen	weglassen
belassen	erlassen	überlassen	verlassen	zulassen

44 laufen* läuft – lief – ist gelaufen

Mit hohen Schuhen kann man schlecht laufen.

Indikativ

	Präsens	Imperfekt	Perfekt	Plusquamperfekt
ich	lauf e	lief	bin gelaufen	war gelaufen
du	läuf st	lief st	bist gelaufen	warst gelaufen
er/sie/es	läuf t	lief	ist gelaufen	war gelaufen
wir	lauf en	lief en	sind gelaufen	waren gelaufen
ihr	lauf t	lief t	seid gelaufen	wart gelaufen
sie/Sie	lauf en	lief en	sind gelaufen	waren gelaufen

	Futur I	Futur II	Imperativ	Infinitiv
ich	werde laufen	werde gelaufen sein	–	**Präs.:** laufen
du	wirst laufen	wirst gelaufen sein	lauf	**Perf.:** gelaufen
er/sie/es	wird laufen	wird gelaufen sein	–	sein
wir	werden laufen	werden gelaufen sein	lauf en wir	**Partizip**
ihr	werdet laufen	werdet gelaufen sein	lauf t	**Präs.:** laufend
sie/Sie	werden laufen	werden gelaufen sein	lauf en Sie	**Perf.:** gelaufen

Konjunktiv

Konjunktiv I

	Gegenwart	Vergangenheit	Zukunft	
ich	lauf e	sei gelaufen	werde laufen	werde gelaufen sein
du	lauf est	sei(e)st gelaufen	werdest laufen	werdest gelaufen sein
er/sie/es	lauf e	sei gelaufen	werde laufen	werde gelaufen sein
wir	lauf en	seien gelaufen	werden laufen	werden gelaufen sein
ihr	lauf et	seiet gelaufen	werdet laufen	werdet gelaufen sein
sie/Sie	lauf en	seien gelaufen	werden laufen	werden gelaufen sein

Konjunktiv II

	Gegenwart / Zukunft		Vergangenheit
ich	lief e	würde laufen	wäre gelaufen
du	lief est	würdest laufen	wär(e)st gelaufen
er/sie/es	lief e	würde laufen	wäre gelaufen
wir	lief en	würden laufen	wären gelaufen
ihr	lief et	würdet laufen	wär(e)t gelaufen
sie/Sie	lief en	würden laufen	wären gelaufen

Ebenso:

ablaufen (ist)	sich belaufen	nachlaufen (ist)	überlaufen (ist)
auslaufen (ist)	entlaufen (ist)	sich verlaufen	zulaufen (ist)

45 leiden* leidet – litt – hat gelitten

Sie leidet an einer schweren Allergie.

Indikativ

	Präsens	Imperfekt	Perfekt	Plusquamperfekt
ich	leid e	litt	habe gelitten	hatte gelitten
du	leid est	litt st	hast gelitten	hattest gelitten
er/sie/es	leid et	litt	hat gelitten	hatte gelitten
wir	leid en	litt en	haben gelitten	hatten gelitten
ihr	leid et	litt et	habt gelitten	hattet gelitten
sie/Sie	leid en	litt en	haben gelitten	hatten gelitten

	Futur I	Futur II	Imperativ	Infinitiv
ich	werde leiden	werde gelitten haben	–	**Präs.:** leiden
du	wirst leiden	wirst gelitten haben	leid e	**Perf.:** gelitten
er/sie/es	wird leiden	wird gelitten haben	–	haben
wir	werden leiden	werden gelitten haben	leid en wir	**Partizip**
ihr	werdet leiden	werdet gelitten haben	leid et	**Präs.:** leidend
sie/Sie	werden leiden	werden gelitten haben	leid en Sie	**Perf.:** gelitten

Konjunktiv

Konjunktiv I

	Gegenwart	Vergangenheit	Zukunft	
ich	leid e	habe gelitten	werde leiden	werde gelitten haben
du	leid est	habest gelitten	werdest leiden	werdest gelitten haben
er/sie/es	leid e	habe gelitten	werde leiden	werde gelitten haben
wir	leid en	haben gelitten	werden leiden	werden gelitten haben
ihr	leid et	habet gelitten	werdet leiden	werdet gelitten haben
sie/Sie	leid en	haben gelitten	werden leiden	werden gelitten haben

Konjunktiv II

	Gegenwart / Zukunft		Vergangenheit
ich	litt e	würde leiden	hätte gelitten
du	litt est	würdest leiden	hättest gelitten
er/sie/es	litt e	würde leiden	hätte gelitten
wir	litt en	würden leiden	hätten gelitten
ihr	litt et	würdet leiden	hättet gelitten
sie/Sie	litt en	würden leiden	hätten gelitten

Ebenso:					
erleiden	**schneiden**	**gleiten (ist)**	**reiten** (ist)	**schreiten** (ist)	**streiten**
	abschneiden	abgleiten (ist)	ausreiten (ist)	einschreiten (ist)	abstreiten
	ausschneiden	entgleiten (ist)	zureiten		bestreiten

46 leihen* leiht – lieh – hat geliehen

Ich leihe dir gern mein Buch.

Indikativ

	Präsens	Imperfekt	Perfekt	Plusquamperfekt
ich	leih e	lieh	habe geliehen	hatte geliehen
du	leih st	lieh st	hast geliehen	hattest geliehen
er/sie/es	leih t	lieh	hat geliehen	hatte geliehen
wir	leih en	lieh en	haben geliehen	hatten geliehen
ihr	leih t	lieh t	habt geliehen	hattet geliehen
sie/Sie	leih en	lieh en	haben geliehen	hatten geliehen

	Futur I	Futur II	Imperativ	Infinitiv
ich	werde leihen	werde geliehen haben	–	**Präs.:** leihen
du	wirst leihen	wirst geliehen haben	leih	**Perf.:** geliehen
er/sie/es	wird leihen	wird geliehen haben	–	haben
wir	werden leihen	werden geliehen haben	leih en wir	**Partizip**
ihr	werdet leihen	werdet geliehen haben	leih t	**Präs.:** leihend
sie/Sie	werden leihen	werden geliehen haben	leih en Sie	**Perf.:** geliehen

Konjunktiv

Konjunktiv I

	Gegenwart	Vergangenheit	Zukunft	
ich	leih e	habe geliehen	werde leihen	werde geliehen haben
du	leih est	habest geliehen	werdest leihen	werdest geliehen haben
er/sie/es	leih e	habe geliehen	werde leihen	werde geliehen haben
wir	leih en	haben geliehen	werden leihen	werden geliehen haben
ihr	leih et	habet geliehen	werdet leihen	werdet geliehen haben
sie/Sie	leih en	haben geliehen	werden leihen	werden geliehen haben

Konjunktiv II

	Gegenwart / Zukunft		Vergangenheit
ich	lieh e	würde leihen	hätte geliehen
du	lieh est	würdest leihen	hättest geliehen
er/sie/es	lieh e	würde leihen	hätte geliehen
wir	lieh en	würden leihen	hätten geliehen
ihr	lieh et	würdet leihen	hättet geliehen
sie/Sie	lieh en	würden leihen	hätten geliehen

Ebenso:

ausleihen	**gedeihen** (ist)	**verzeihen**
verleihen	angedeihen	

47 lesen* liest – las – hat gelesen

Hast du die Zeitung schon gelesen?

Indikativ

	Präsens	Imperfekt	Perfekt	Plusquamperfekt
ich	les e	las	habe gelesen	hatte gelesen
du	lies t	las t	hast gelesen	hattest gelesen
er/sie/es	lies t	las	hat gelesen	hatte gelesen
wir	les en	las en	haben gelesen	hatten gelesen
ihr	les t	las t	habt gelesen	hattet gelesen
sie/Sie	les en	las en	haben gelesen	hatten gelesen

	Futur I	Futur II	Imperativ	Infinitiv
ich	werde lesen	werde gelesen haben	–	**Präs.:** lesen
du	wirst lesen	wirst gelesen haben	lies	**Perf.:** gelesen
er/sie/es	wird lesen	wird gelesen haben	–	haben
wir	werden lesen	werden gelesen haben	les en wir	**Partizip**
ihr	werdet lesen	werdet gelesen haben	les t	**Präs.:** lesend
sie/Sie	werden lesen	werden gelesen haben	les en Sie	**Perf.:** gelesen

Konjunktiv

Konjunktiv I

	Gegenwart	Vergangenheit	Zukunft	
ich	les e	habe gelesen	werde lesen	werde gelesen haben
du	les est	habest gelesen	werdest lesen	werdest gelesen haben
er/sie/es	les e	habe gelesen	werde lesen	werde gelesen haben
wir	les en	haben gelesen	werden lesen	werden gelesen haben
ihr	les et	habet gelesen	werdet lesen	werdet gelesen haben
sie/Sie	les en	haben gelesen	werden lesen	werden gelesen haben

Konjunktiv II

	Gegenwart / Zukunft		Vergangenheit
ich	läs e	würde lesen	hätte gelesen
du	läs est	würdest lesen	hättest gelesen
er/sie/es	läs e	würde lesen	hätte gelesen
wir	läs en	würden lesen	hätten gelesen
ihr	läs et	würdet lesen	hättet gelesen
sie/Sie	läs en	würden lesen	hätten gelesen

Ebenso:

auflesen	überlesen	**genesen** (ist)
nachlesen	vorlesen	*Präs.:* du/er genest
		Imperativ: genese

48 liegen* liegt – lag – hat gelegen

München liegt in Süddeutschland.

Indikativ

	Präsens	Imperfekt	Perfekt	Plusquamperfekt
ich	lieg e	lag	habe gelegen	hatte gelegen
du	lieg st	lag st	hast gelegen	hattest gelegen
er/sie/es	lieg t	lag	hat gelegen	hatte gelegen
wir	lieg en	lag en	haben gelegen	hatten gelegen
ihr	lieg t	lag t	habt gelegen	hattet gelegen
sie/Sie	lieg en	lag en	haben gelegen	hatten gelegen

	Futur I	Futur II	Imperativ	Infinitiv
ich	werde liegen	werde gelegen haben	–	**Präs.:** liegen
du	wirst liegen	wirst gelegen haben	lieg	**Perf.:** gelegen
er/sie/es	wird liegen	wird gelegen haben	–	haben
wir	werden liegen	werden gelegen haben	lieg en wir	**Partizip**
ihr	werdet liegen	werdet gelegen haben	lieg t	**Präs.:** liegend
sie/Sie	werden liegen	werden gelegen haben	lieg en Sie	**Perf.:** gelegen

Konjunktiv

Konjunktiv I

	Gegenwart	Vergangenheit	Zukunft	
ich	lieg e	habe gelegen	werde liegen	werde gelegen haben
du	lieg est	habest gelegen	werdest liegen	werdest gelegen haben
er/sie/es	lieg e	habe gelegen	werde liegen	werde gelegen haben
wir	lieg en	haben gelegen	werden liegen	werden gelegen haben
ihr	lieg et	habet gelegen	werdet liegen	werdet gelegen haben
sie/Sie	lieg en	haben gelegen	werden liegen	werden gelegen haben

Konjunktiv II

	Gegenwart / Zukunft		Vergangenheit
ich	läg e	würde liegen	hätte gelegen
du	läg est	würdest liegen	hättest gelegen
er/sie/es	läg e	würde liegen	hätte gelegen
wir	läg en	würden liegen	hätten gelegen
ihr	läg et	würdet liegen	hättet gelegen
sie/Sie	läg en	würden liegen	hätten gelegen

Ebenso:

erliegen (ist)	unterliegen (ist) vorliegen (ist)

49 lügen* lügt – log – hat gelogen

Er sagt nicht die Wahrheit, also lügt er.

Indikativ

	Präsens	Imperfekt	Perfekt	Plusquamperfekt
ich	lüg e	log	habe gelogen	hatte gelogen
du	lüg st	log st	hast gelogen	hattest gelogen
er/sie/es	lüg t	log	hat gelogen	hatte gelogen
wir	lüg en	log en	haben gelogen	hatten gelogen
ihr	lüg t	log t	habt gelogen	hattet gelogen
sie/Sie	lüg en	log en	haben gelogen	hatten gelogen

	Futur I	Futur II	Imperativ	Infinitiv
ich	werde lügen	werde gelogen haben	–	**Präs.:** lügen
du	wirst lügen	wirst gelogen haben	lüg	**Perf.:** gelogen
er/sie/es	wird lügen	wird gelogen haben	–	haben
wir	werden lügen	werden gelogen haben	lüg en wir	**Partizip**
ihr	werdet lügen	werdet gelogen haben	lüg t	**Präs.:** lügend
sie/Sie	werden lügen	werden gelogen haben	lüg en Sie	**Perf.:** gelogen

Konjunktiv

Konjunktiv I

	Gegenwart	Vergangenheit	Zukunft	
ich	lüg e	habe gelogen	werde lügen	werde gelogen haben
du	lüg est	habest gelogen	werdest lügen	werdest gelogen haben
er/sie/es	lüg e	habe gelogen	werde lügen	werde gelogen haben
wir	lüg en	haben gelogen	werden lügen	werden gelogen haben
ihr	lüg et	habet gelogen	werdet lügen	werdet gelogen haben
sie/Sie	lüg en	haben gelogen	werden lügen	werden gelogen haben

Konjunktiv II

	Gegenwart / Zukunft		Vergangenheit
ich	lög e	würde lügen	hätte gelogen
du	lög est	würdest lügen	hättest gelogen
er/sie/es	lög e	würde lügen	hätte gelogen
wir	lög en	würden lügen	hätten gelogen
ihr	lög et	würdet lügen	hättet gelogen
sie/Sie	lög en	würden lügen	hätten gelogen

Ebenso:

anlügen	**trügen**
belügen	betrügen

50 meiden meidet – mied – hat gemieden

Seit unserem letzten Streit meidet er mich.

Indikativ

	Präsens	Imperfekt	Perfekt	Plusquamperfekt
ich	meid e	mied	habe gemieden	hatte gemieden
du	meid est	mied st	hast gemieden	hattest gemieden
er/sie/es	meid et	mied	hat gemieden	hatte gemieden
wir	meid en	mied en	haben gemieden	hatten gemieden
ihr	meid et	mied et	habt gemieden	hattet gemieden
sie/Sie	meid en	mied en	haben gemieden	hatten gemieden

	Futur I	Futur II	Imperativ	Infinitiv
ich	werde meiden	werde gemieden haben	–	**Präs.:** meiden
du	wirst meiden	wirst gemieden haben	meid e	**Perf.:** gemieden
er/sie/es	wird meiden	wird gemieden haben	–	haben
wir	werden meiden	werden gemieden haben	meid en wir	**Partizip**
ihr	werdet meiden	werdet gemieden haben	meid et	**Präs.:** meidend
sie/Sie	werden meiden	werden gemieden haben	meid en Sie	**Perf.:** gemieden

Konjunktiv

Konjunktiv I

	Gegenwart	Vergangenheit	Zukunft	
ich	meid e	habe gemieden	werde meiden	werde gemieden haben
du	meid est	habest gemieden	werdest meiden	werdest gemieden haben
er/sie/es	meid e	habe gemieden	werde meiden	werde gemieden haben
wir	meid en	haben gemieden	werden meiden	werden gemieden haben
ihr	meid et	habet gemieden	werdet meiden	werdet gemieden haben
sie/Sie	meid en	haben gemieden	werden meiden	werden gemieden haben

Konjunktiv II

	Gegenwart / Zukunft		Vergangenheit
ich	mied e	würde meiden	hätte gemieden
du	mied est	würdest meiden	hättest gemieden
er/sie/es	mied e	würde meiden	hätte gemieden
wir	mied en	würden meiden	hätten gemieden
ihr	mied et	würdet meiden	hättet gemieden
sie/Sie	mied en	würden meiden	hätten gemieden

Ebenso:

vermeiden

scheiden (hat/ist)
ausscheiden (ist)
entscheiden

51 nehmen* nimmt – nahm – hat genommen

Nimmst du Zucker in den Kaffee?

Indikativ

	Präsens	Imperfekt	Perfekt	Plusquamperfekt
ich	nehm e	nahm	habe genommen	hatte genommen
du	nimm st	nahm st	hast genommen	hattest genommen
er/sie/es	nimm t	nahm	hat genommen	hatte genommen
wir	nehm en	nahm en	haben genommen	hatten genommen
ihr	nehm t	nahm t	habt genommen	hattet genommen
sie/Sie	nehm en	nahm en	haben genommen	hatten genommen

	Futur I	Futur II	Imperativ	Infinitiv
ich	werde nehmen	werde genommen haben	–	**Präs.:** nehmen
du	wirst nehmen	wirst genommen haben	nimm	**Perf.:** genommen
er/sie/es	wird nehmen	wird genommen haben	–	haben
wir	werden nehmen	werden genommen haben	nehm en wir	**Partizip**
ihr	werdet nehmen	werdet genommen haben	nehm t	**Präs.:** nehmend
sie/Sie	werden nehmen	werden genommen haben	nehm en Sie	**Perf.:** genommen

Konjunktiv

Konjunktiv I

	Gegenwart	Vergangenheit	Zukunft	
ich	nehm e	habe genommen	werde nehmen	werde genommen haben
du	nehm est	habest genommen	werdest nehmen	werdest genommen haben
er/sie/es	nehm e	habe genommen	werde nehmen	werde genommen haben
wir	nehm en	haben genommen	werden nehmen	werden genommen haben
ihr	nehm et	habet genommen	werdet nehmen	werdet genommen haben
sie/Sie	nehm en	haben genommen	werden nehmen	werden genommen haben

Konjunktiv II

	Gegenwart / Zukunft		Vergangenheit
ich	nähm e	würde nehmen	hätte genommen
du	nähm est	würdest nehmen	hättest genommen
er/sie/es	nähm e	würde nehmen	hätte genommen
wir	nähm en	würden nehmen	hätten genommen
ihr	nähm et	würdet nehmen	hättet genommen
sie/Sie	nähm en	würden nehmen	hätten genommen

Ebenso:

abnehmen	sich benehmen	hinnehmen	übernehmen	wegnehmen
annehmen	einnehmen	mitnehmen	vernehmen	zunehmen
aufnehmen	entnehmen	unternehmen	vornehmen	

52 raten* rät – riet – hat geraten

Der Arzt hat ihm geraten, weniger zu rauchen.

Indikativ

	Präsens	Imperfekt	Perfekt	Plusquamperfekt
ich	rat e	riet	habe geraten	hatte geraten
du	rät st	riet (e)st	hast geraten	hattest geraten
er/sie/es	rät	riet	hat geraten	hatte geraten
wir	rat en	riet en	haben geraten	hatten geraten
ihr	rat et	riet et	habt geraten	hattet geraten
sie/Sie	rat en	riet en	haben geraten	hatten geraten

	Futur I	Futur II	Imperativ	Infinitiv
ich	werde raten	werde geraten haben	–	**Präs.:** raten
du	wirst raten	wirst geraten haben	rat e	**Perf.:** geraten
er/sie/es	wird raten	wird geraten haben	–	haben
wir	werden raten	werden geraten haben	rat en wir	**Partizip**
ihr	werdet raten	werdet geraten haben	rat et	**Präs.:** ratend
sie/Sie	werden raten	werden geraten haben	rat en Sie	**Perf.:** geraten

Konjunktiv

Konjunktiv I

	Gegenwart	Vergangenheit	Zukunft	
ich	rat e	habe geraten	werde raten	werde geraten haben
du	rat est	habest geraten	werdest raten	werdest geraten haben
er/sie/es	rat e	habe geraten	werde raten	werde geraten haben
wir	rat en	haben geraten	werden raten	werden geraten haben
ihr	rat et	habet geraten	werdet raten	werdet geraten haben
sie/Sie	rat en	haben geraten	werden raten	werden geraten haben

Konjunktiv II

	Gegenwart / Zukunft		Vergangenheit
ich	riet e	würde raten	hätte geraten
du	riet est	würdest raten	hättest geraten
er/sie/es	riet e	würde raten	hätte geraten
wir	riet en	würden raten	hätten geraten
ihr	riet et	würdet raten	hättet geraten
sie/Sie	riet en	würden raten	hätten geraten

Ebenso:

abraten	geraten (ist)	**braten**
beraten	verraten	anbraten
erraten		

53 riechen* riecht – roch – hat gerochen

Hier riecht es nach Fisch.

Indikativ

	Präsens	Imperfekt	Perfekt	Plusquamperfekt
ich	riech e	roch	habe gerochen	hatte gerochen
du	riech st	roch st	hast gerochen	hattest gerochen
er/sie/es	riech t	roch	hat gerochen	hatte gerochen
wir	riech en	roch en	haben gerochen	hatten gerochen
ihr	riech t	roch t	habt gerochen	hattet gerochen
sie/Sie	riech en	roch en	haben gerochen	hatten gerochen

	Futur I	Futur II	Imperativ	Infinitiv
ich	werde riechen	werde gerochen haben	–	**Präs.:** riechen
du	wirst riechen	wirst gerochen haben	riech	**Perf.:** gerochen
er/sie/es	wird riechen	wird gerochen haben	–	haben
wir	werden riechen	werden gerochen haben	riech en wir	**Partizip**
ihr	werdet riechen	werdet gerochen haben	riech t	**Präs.:** riechend
sie/Sie	werden riechen	werden gerochen haben	riech en Sie	**Perf.:** gerochen

Konjunktiv

Konjunktiv I

	Gegenwart	Vergangenheit	Zukunft	
ich	riech e	habe gerochen	werde riechen	werde gerochen haben
du	riech est	habest gerochen	werdest riechen	werdest gerochen haben
er/sie/es	riech e	habe gerochen	werde riechen	werde gerochen haben
wir	riech en	haben gerochen	werden riechen	werden gerochen haben
ihr	riech et	habet gerochen	werdet riechen	werdet gerochen haben
sie/Sie	riech en	haben gerochen	werden riechen	werden gerochen haben

Konjunktiv II

	Gegenwart / Zukunft		Vergangenheit
ich	röch e	würde riechen	hätte gerochen
du	röch est	würdest riechen	hättest gerochen
er/sie/es	röch e	würde riechen	hätte gerochen
wir	röch en	würden riechen	hätten gerochen
ihr	röch et	würdet riechen	hättet gerochen
sie/Sie	röch en	würden riechen	hätten gerochen

Ebenso:
kriechen (ist)
sich verkriechen

54 rufen* ruft – rief – hat gerufen

Kannst du mir ein Taxi rufen?

Indikativ

	Präsens	Imperfekt	Perfekt	Plusquamperfekt
ich	ruf e	rief	habe gerufen	hatte gerufen
du	ruf st	rief st	hast gerufen	hattest gerufen
er/sie/es	ruf t	rief	hat gerufen	hatte gerufen
wir	ruf en	rief en	haben gerufen	hatten gerufen
ihr	ruf t	rief t	habt gerufen	hattet gerufen
sie/Sie	ruf en	rief en	haben gerufen	hatten gerufen

	Futur I	Futur II	Imperativ	Infinitiv
ich	werde rufen	werde gerufen haben	–	**Präs.:** rufen
du	wirst rufen	wirst gerufen haben	ruf	**Perf.:** gerufen
er/sie/es	wird rufen	wird gerufen haben	–	haben
wir	werden rufen	werden gerufen haben	ruf en wir	**Partizip**
ihr	werdet rufen	werdet gerufen haben	ruf t	**Präs.:** rufend
sie/Sie	werden rufen	werden gerufen haben	ruf en Sie	**Perf.:** gerufen

Konjunktiv

Konjunktiv I

	Gegenwart	Vergangenheit	Zukunft	
ich	ruf e	habe gerufen	werde rufen	werde gerufen haben
du	ruf est	habest gerufen	werdest rufen	werdest gerufen haben
er/sie/es	ruf e	habe gerufen	werde rufen	werde gerufen haben
wir	ruf en	haben gerufen	werden rufen	werden gerufen haben
ihr	ruf et	habet gerufen	werdet rufen	werdet gerufen haben
sie/Sie	ruf en	haben gerufen	werden rufen	werden gerufen haben

Konjunktiv II

	Gegenwart / Zukunft		Vergangenheit
ich	rief e	würde rufen	hätte gerufen
du	rief est	würdest rufen	hättest gerufen
er/sie/es	rief e	würde rufen	hätte gerufen
wir	rief en	würden rufen	hätten gerufen
ihr	rief et	würdet rufen	hättet gerufen
sie/Sie	rief en	würden rufen	hätten gerufen

Ebenso:

anrufen	berufen	nachrufen
aufrufen	hervorrufen	zurufen

55 saufen säuft – soff – hat gesoffen

Er ist Alkoholiker, er säuft seit zehn Jahren.

Indikativ

	Präsens	Imperfekt	Perfekt	Plusquamperfekt
ich	sauf e	soff	habe gesoffen	hatte gesoffen
du	säuf st	soff st	hast gesoffen	hattest gesoffen
er/sie/es	säuf t	soff	hat gesoffen	hatte gesoffen
wir	sauf en	soff en	haben gesoffen	hatten gesoffen
ihr	sauf t	soff t	habt gesoffen	hattet gesoffen
sie/Sie	sauf en	soff en	haben gesoffen	hatten gesoffen

	Futur I	Futur II	Imperativ	Infinitiv
ich	werde saufen	werde gesoffen haben	–	**Präs.:** saufen
du	wirst saufen	wirst gesoffen haben	sauf	**Perf.:** gesoffen
er/sie/es	wird saufen	wird gesoffen haben	–	haben
wir	werden saufen	werden gesoffen haben	sauf en wir	**Partizip**
ihr	werdet saufen	werdet gesoffen haben	sauf t	**Präs.:** saufend
sie/Sie	werden saufen	werden gesoffen haben	sauf en Sie	**Perf.:** gesoffen

Konjunktiv

Konjunktiv I

	Gegenwart	Vergangenheit	Zukunft	
ich	sauf e	habe gesoffen	werde saufen	werde gesoffen haben
du	sauf est	habest gesoffen	werdest saufen	werdest gesoffen haben
er/sie/es	sauf e	habe gesoffen	werde saufen	werde gesoffen haben
wir	sauf en	haben gesoffen	werden saufen	werden gesoffen haben
ihr	sauf et	habet gesoffen	werdet saufen	werdet gesoffen haben
sie/Sie	sauf en	haben gesoffen	werden saufen	werden gesoffen haben

Konjunktiv II

	Gegenwart / Zukunft		Vergangenheit
ich	söff e	würde saufen	hätte gesoffen
du	söff est	würdest saufen	hättest gesoffen
er/sie/es	söff e	würde saufen	hätte gesoffen
wir	söff en	würden saufen	hätten gesoffen
ihr	söff et	würdet saufen	hättet gesoffen
sie/Sie	söff en	würden saufen	hätten gesoffen

Ebenso:

sich besaufen versaufen
ersaufen (ist)

56 schaffen* schafft – schuf – hat geschaffen

In unserer Firma werden hundert neue Arbeitsplätze geschaffen.

Indikativ

	Präsens	Imperfekt	Perfekt	Plusquamperfekt
ich	schaff e	schuf	habe geschaffen	hatte geschaffen
du	schaff st	schuf st	hast geschaffen	hattest geschaffen
er/sie/es	schaff t	schuf	hat geschaffen	hatte geschaffen
wir	schaff en	schuf en	haben geschaffen	hatten geschaffen
ihr	schaff t	schuf t	habt geschaffen	hattet geschaffen
sie/Sie	schaff en	schuf en	haben geschaffen	hatten geschaffen

	Futur I	Futur II	Imperativ	Infinitiv
ich	werde schaffen	werde geschaffen haben	–	**Präs.:** schaffen
du	wirst schaffen	wirst geschaffen haben	schaff	**Perf.:** geschaffen
er/sie/es	wird schaffen	wird geschaffen haben	–	haben
wir	werden schaffen	werden geschaffen haben	schaff en wir	**Partizip**
ihr	werdet schaffen	werdet geschaffen haben	schaff t	**Präs.:** schaffend
sie/Sie	werden schaffen	werden geschaffen haben	schaff en Sie	**Perf.:** geschaffen

Konjunktiv

Konjunktiv I

	Gegenwart	Vergangenheit	Zukunft	
ich	schaff e	habe geschaffen	werde schaffen	werde geschaffen haben
du	schaff est	habest geschaffen	werdest schaffen	werdest geschaffen haben
er/sie/es	schaff e	habe geschaffen	werde schaffen	werde geschaffen haben
wir	schaff en	haben geschaffen	werden schaffen	werden geschaffen haben
ihr	schaff et	habet geschaffen	werdet schaffen	werdet geschaffen haben
sie/Sie	schaff en	haben geschaffen	werden schaffen	werden geschaffen haben

Konjunktiv II

	Gegenwart / Zukunft		Vergangenheit
ich	schüf e	würde schaffen	hätte geschaffen
du	schüf est	würdest schaffen	hättest geschaffen
er/sie/es	schüf e	würde schaffen	hätte geschaffen
wir	schüf en	würden schaffen	hätten geschaffen
ihr	schüf et	würdet schaffen	hättet geschaffen
sie/Sie	schüf en	würden schaffen	hätten geschaffen

Ebenso:
erschaffen

57 schlafen* schläft – schlief – hat geschlafen

Das Baby schläft den ganzen Tag.

Indikativ

	Präsens	Imperfekt	Perfekt	Plusquamperfekt
ich	schlaf e	schlief	habe geschlafen	hatte geschlafen
du	schläf st	schlief st	hast geschlafen	hattest geschlafen
er/sie/es	schläf t	schlief	hat geschlafen	hatte geschlafen
wir	schlaf en	schlief en	haben geschlafen	hatten geschlafen
ihr	schlaf t	schlief t	habt geschlafen	hattet geschlafen
sie/Sie	schlaf en	schlief en	haben geschlafen	hatten geschlafen

	Futur I	Futur II	Imperativ	Infinitiv
ich	werde schlafen	werde geschlafen haben	–	**Präs.:** schlafen
du	wirst schlafen	wirst geschlafen haben	schlaf	**Perf.:** geschlafen
er/sie/es	wird schlafen	wird geschlafen haben	–	haben
wir	werden schlafen	werden geschlafen haben	schlaf en wir	**Partizip**
ihr	werdet schlafen	werdet geschlafen haben	schlaf t	**Präs.:** schlafend
sie/Sie	werden schlafen	werden geschlafen haben	schlaf en Sie	**Perf.:** geschlafen

Konjunktiv

Konjunktiv I

	Gegenwart	Vergangenheit	Zukunft	
ich	schlaf e	habe geschlafen	werde schlafen	werde geschlafen haben
du	schlaf est	habest geschlafen	werdest schlafen	werdest geschlafen haben
er/sie/es	schlaf e	habe geschlafen	werde schlafen	werde geschlafen haben
wir	schlaf en	haben geschlafen	werden schlafen	werden geschlafen haben
ihr	schlaf et	habet geschlafen	werdet schlafen	werdet geschlafen haben
sie/Sie	schlaf en	haben geschlafen	werden schlafen	werden geschlafen haben

Konjunktiv II

	Gegenwart / Zukunft		Vergangenheit
ich	schlief e	würde schlafen	hätte geschlafen
du	schlief est	würdest schlafen	hättest geschlafen
er/sie/es	schlief e	würde schlafen	hätte geschlafen
wir	schlief en	würden schlafen	hätten geschlafen
ihr	schlief et	würdet schlafen	hättet geschlafen
sie/Sie	schlief en	würden schlafen	hätten geschlafen

Ebenso:

ausschlafen	entschlafen (ist)
einschlafen (ist)	verschlafen

58 schließen* schließt – schloss – hat geschlossen

Die Geschäfte schließen um 20 Uhr.

Indikativ

	Präsens	Imperfekt	Perfekt	Plusquamperfekt
ich	schließ e	schloss	habe geschlossen	hatte geschlossen
du	schließ t	schloss (es)t	hast geschlossen	hattest geschlossen
er/sie/es	schließ t	schloss	hat geschlossen	hatte geschlossen
wir	schließ en	schloss en	haben geschlossen	hatten geschlossen
ihr	schließ t	schloss t	habt geschlossen	hattet geschlossen
sie/Sie	schließ en	schloss en	haben geschlossen	hatten geschlossen

	Futur I	Futur II	Imperativ	Infinitiv
ich	werde schließen	werde geschlossen haben	–	**Präs.:** schließen
du	wirst schließen	wirst geschlossen haben	schließ	**Perf.:** geschlossen
er/sie/es	wird schließen	wird geschlossen haben	–	haben
wir	werden schließen	werden geschlossen haben	schließ en wir	**Partizip**
ihr	werdet schließen	werdet geschlossen haben	schließ t	**Präs.:** schließend
sie/Sie	werden schließen	werden geschlossen haben	schließ en Sie	**Perf.:** geschlossen

Konjunktiv

Konjunktiv I

	Gegenwart	Vergangenheit	Zukunft	
ich	schließ e	habe geschlossen	werde schließen	werde geschlossen haben
du	schließ est	habest geschlossen	werdest schließen	werdest geschlossen haben
er/sie/es	schließ e	habe geschlossen	werde schließen	werde geschlossen haben
wir	schließ en	haben geschlossen	werden schließen	werden geschlossen haben
ihr	schließ et	habet geschlossen	werdet schließen	werdet geschlossen haben
sie/Sie	schließ en	haben geschlossen	werden schließen	werden geschlossen haben

Konjunktiv II

	Gegenwart / Zukunft		Vergangenheit
ich	schlöss e	würde schließen	hätte geschlossen
du	schlöss est	würdest schließen	hättest geschlossen
er/sie/es	schlöss e	würde schließen	hätte geschlossen
wir	schlöss en	würden schließen	hätten geschlossen
ihr	schlöss et	würdet schließen	hättet geschlossen
sie/Sie	schlöss en	würden schließen	hätten geschlossen

Ebenso:

abschließen	umschließen	**fließen**	**genießen**	**schießen**	**erklimmen**
beschließen	verschließen	**gießen**	**sprießen**	abschießen	**glimmen**
sich entschließen	zuschließen	eingießen	**verdrießen**	erschießen	

59 schreien* schreit – schrie – hat geschrien

Schrei nicht so, sprich leiser.

Indikativ

	Präsens	Imperfekt	Perfekt	Plusquamperfekt
ich	schrei e	schrie	habe geschrien	hatte geschrien
du	schrei st	schrie st	hast geschrien	hattest geschrien
er/sie/es	schrei t	schrie	hat geschrien	hatte geschrien
wir	schrei en	schrie n	haben geschrien	hatten geschrien
ihr	schrei t	schrie t	habt geschrien	hattet geschrien
sie/Sie	schrei en	schrie n	haben geschrien	hatten geschrien

	Futur I	Futur II	Imperativ	Infinitiv
ich	werde schreien	werde geschrien haben	–	**Präs.:** schreien
du	wirst schreien	wirst geschrien haben	schrei	**Perf.:** geschrien
er/sie/es	wird schreien	wird geschrien haben	–	haben
wir	werden schreien	werden geschrien haben	schrei en wir	**Partizip**
ihr	werdet schreien	werdet geschrien haben	schrei t	**Präs.:** schreiend
sie/Sie	werden schreien	werden geschrien haben	schrei en Sie	**Perf.:** geschrien

Konjunktiv

Konjunktiv I

	Gegenwart	Vergangenheit	Zukunft	
ich	schrei e	habe geschrien	werde schreien	werde geschrien haben
du	schrei est	habest geschrien	werdest schreien	werdest geschrien haben
er/sie/es	schrei e	habe geschrien	werde schreien	werde geschrien haben
wir	schrei en	haben geschrien	werden schreien	werden geschrien haben
ihr	schrei et	habet geschrien	werdet schreien	werdet geschrien haben
sie/Sie	schrei en	haben geschrien	werden schreien	werden geschrien haben

Konjunktiv II

	Gegenwart / Zukunft		Vergangenheit
ich	schrie e	würde schreien	hätte geschrien
du	schrie est	würdest schreien	hättest geschrien
er/sie/es	schrie e	würde schreien	hätte geschrien
wir	schrie en	würden schreien	hätten geschrien
ihr	schrie et	würdet schreien	hättet geschrien
sie/Sie	schrie en	würden schreien	hätten geschrien

Ebenso:

anschreien **speien**
verschreien

60 schwellen schwillt – schwoll – ist geschwollen

Ich kann kaum laufen, weil mein Knie geschwollen ist.

Indikativ

	Präsens	Imperfekt	Perfekt		Plusquamperfekt	
ich	schwell e	schwoll	bin	geschwollen	war	geschwollen
du	schwill st	schwoll st	bist	geschwollen	warst	geschwollen
er/sie/es	schwill t	schwoll	ist	geschwollen	war	geschwollen
wir	schwell en	schwoll en	sind	geschwollen	waren	geschwollen
ihr	schwell t	schwoll t	seid	geschwollen	wart	geschwollen
sie/Sie	schwell en	schwoll en	sind	geschwollen	waren	geschwollen

	Futur I		Futur II		Imperativ	Infinitiv
ich	werde	schwellen	werde	geschwollen sein	–	**Präs.:** schwellen
du	wirst	schwellen	wirst	geschwollen sein	(schwill)	**Perf.:** geschwollen
er/sie/es	wird	schwellen	wird	geschwollen sein	–	sein
wir	werden	schwellen	werden	geschwollen sein	(schwellen wir)	**Partizip**
ihr	werdet	schwellen	werdet	geschwollen sein	(schwellt)	**Präs.:** schwellend
sie/Sie	werden	schwellen	werden	geschwollen sein	(schwellen Sie)	**Perf.:** geschwollen

Konjunktiv

Konjunktiv I

	Gegenwart	Vergangenheit		Zukunft			
ich	schwell e	sei	geschwollen	werde	schwellen	werde	geschwollen sein
du	schwell est	sei(e)st	geschwollen	werdest	schwellen	werdest	geschwollen sein
er/sie/es	schwell e	sei	geschwollen	werde	schwellen	werde	geschwollen sein
wir	schwell en	seien	geschwollen	werden	schwellen	werden	geschwollen sein
ihr	schwell et	seiet	geschwollen	werdet	schwellen	werdet	geschwollen sein
sie/Sie	schwell en	seien	geschwollen	werden	schwellen	werden	geschwollen sein

Konjunktiv II

	Gegenwart / Zukunft			Vergangenheit	
ich	schwöll e	würde	schwellen	wäre	geschwollen
du	schwöll est	würdest	schwellen	wär(e)st	geschwollen
er/sie/es	schwöll e	würde	schwellen	wäre	geschwollen
wir	schwöll en	würden	schwellen	wären	geschwollen
ihr	schwöll et	würdet	schwellen	wär(e)t	geschwollen
sie/Sie	schwöll en	würden	schwellen	wären	geschwollen

Ebenso:

anschwellen (ist)	**dreschen**	**quellen** (ist)	**schmelzen** (ist)
abschwellen (ist)	verdreschen	aufquellen (ist)	*Präs.:* du schmilzt
			Imperfekt: du schmolz(es)t

61 sehen* sieht – sah – hat gesehen

Ohne Brille sehe ich nicht sehr gut.

Indikativ

	Präsens	Imperfekt	Perfekt	Plusquamperfekt
ich	seh e	sah	habe gesehen	hatte gesehen
du	sieh st	sah st	hast gesehen	hattest gesehen
er/sie/es	sieh t	sah	hat gesehen	hatte gesehen
wir	seh en	sah en	haben gesehen	hatten gesehen
ihr	seh t	sah t	habt gesehen	hattet gesehen
sie/Sie	seh en	sah en	haben gesehen	hatten gesehen

	Futur I	Futur II	Imperativ	Infinitiv
ich	werde sehen	werde gesehen haben	–	**Präs.:** sehen
du	wirst sehen	wirst gesehen haben	sieh	**Perf.:** gesehen
er/sie/es	wird sehen	wird gesehen haben	–	haben
wir	werden sehen	werden gesehen haben	seh en wir	**Partizip**
ihr	werdet sehen	werdet gesehen haben	seh t	**Präs.:** sehend
sie/Sie	werden sehen	werden gesehen haben	seh en Sie	**Perf.:** gesehen

Konjunktiv

Konjunktiv I

	Gegenwart	Vergangenheit	Zukunft	
ich	seh e	habe gesehen	werde sehen	werde gesehen haben
du	seh est	habest gesehen	werdest sehen	werdest gesehen haben
er/sie/es	seh e	habe gesehen	werde sehen	werde gesehen haben
wir	seh en	haben gesehen	werden sehen	werden gesehen haben
ihr	seh et	habet gesehen	werdet sehen	werdet gesehen haben
sie/Sie	seh en	haben gesehen	werden sehen	werden gesehen haben

Konjunktiv II

	Gegenwart / Zukunft		Vergangenheit
ich	säh e	würde sehen	hätte gesehen
du	säh est	würdest sehen	hättest gesehen
er/sie/es	säh e	würde sehen	hätte gesehen
wir	säh en	würden sehen	hätten gesehen
ihr	säh et	würdet sehen	hättet gesehen
sie/Sie	säh en	würden sehen	hätten gesehen

Ebenso:

ansehen	nachsehen	sich umsehen	wegsehen	**geschehen** (ist)
aussehen	übersehen	sich vorsehen	zusehen	

62 senden* sendet – sandte – hat gesandt

Ich sende dir viele Grüße aus dem Urlaub.

Indikativ

	Präsens	Imperfekt	Perfekt	Plusquamperfekt
ich	send e	sand te	habe gesandt	hatte gesandt
du	send est	sand test	hast gesandt	hattest gesandt
er/sie/es	send et	sand te	hat gesandt	hatte gesandt
wir	send en	sand ten	haben gesandt	hatten gesandt
ihr	send et	sand tet	habt gesandt	hattet gesandt
sie/Sie	send en	sand ten	haben gesandt	hatten gesandt

	Futur I	Futur II	Imperativ	Infinitiv
ich	werde senden	werde gesandt haben	–	**Präs.:** senden
du	wirst senden	wirst gesandt haben	send e	**Perf.:** gesandt
er/sie/es	wird senden	wird gesandt haben	–	haben
wir	werden senden	werden gesandt haben	send en wir	**Partizip**
ihr	werdet senden	werdet gesandt haben	send et	**Präs.:** sendend
sie/Sie	werden senden	werden gesandt haben	send en Sie	**Perf.:** gesandt

Konjunktiv

Konjunktiv I

	Gegenwart	Vergangenheit	Zukunft	
ich	send e	habe gesandt	werde senden	werde gesandt haben
du	send est	habest gesandt	werdest senden	werdest gesandt haben
er/sie/es	send e	habe gesandt	werde senden	werde gesandt haben
wir	send en	haben gesandt	werden senden	werden gesandt haben
ihr	send et	habet gesandt	werdet senden	werdet gesandt haben
sie/Sie	send en	haben gesandt	werden senden	werden gesandt haben

Konjunktiv II

	Gegenwart / Zukunft		Vergangenheit
ich	sendet e	würde senden	hätte gesandt
du	sendet est	würdest senden	hättest gesandt
er/sie/es	sendet e	würde senden	hätte gesandt
wir	sendet en	würden senden	hätten gesandt
ihr	sendet et	würdet senden	hättet gesandt
sie/Sie	sendet en	würden senden	hätten gesandt

Ebenso:

absenden	**wenden**	einwenden
nachsenden	abwenden	verwenden
versenden	anwenden	zuwenden

63 sitzen* sitzt – saß – hat gesessen

Ich sitze den ganzen Tag am Schreibtisch.

Indikativ

	Präsens	Imperfekt	Perfekt	Plusquamperfekt
ich	sitz e	saß	habe gesessen	hatte gesessen
du	sitz t	saß t	hast gesessen	hattest gesessen
er/sie/es	sitz t	saß	hat gesessen	hatte gesessen
wir	sitz en	saß en	haben gesessen	hatten gesessen
ihr	sitz t	saß t	habt gesessen	hattet gesessen
sie/Sie	sitz en	saß en	haben gesessen	hatten gesessen

	Futur I	Futur II	Imperativ	Infinitiv
ich	werde sitzen	werde gesessen haben	–	**Präs.:** sitzen
du	wirst sitzen	wirst gesessen haben	sitz	**Perf.:** gesessen
er/sie/es	wird sitzen	wird gesessen haben	–	haben
wir	werden sitzen	werden gesessen haben	sitz en wir	**Partizip**
ihr	werdet sitzen	werdet gesessen haben	sitz t	**Präs.:** sitzend
sie/Sie	werden sitzen	werden gesessen haben	sitz en Sie	**Perf.:** gesessen

Konjunktiv

Konjunktiv I

	Gegenwart	Vergangenheit	Zukunft	
ich	sitz e	habe gesessen	werde sitzen	werde gesessen haben
du	sitz est	habest gesessen	werdest sitzen	werdest gesessen haben
er/sie/es	sitz e	habe gesessen	werde sitzen	werde gesessen haben
wir	sitz en	haben gesessen	werden sitzen	werden gesessen haben
ihr	sitz et	habet gesessen	werdet sitzen	werdet gesessen haben
sie/Sie	sitz en	haben gesessen	werden sitzen	werden gesessen haben

Konjunktiv II

	Gegenwart / Zukunft		Vergangenheit
ich	säß e	würde sitzen	hätte gesessen
du	säß est	würdest sitzen	hättest gesessen
er/sie/es	säß e	würde sitzen	hätte gesessen
wir	säß en	würden sitzen	hätten gesessen
ihr	säß et	würdet sitzen	hättet gesessen
sie/Sie	säß en	würden sitzen	hätten gesessen

Ebenso:

absitzen	einsitzen
besitzen	festsitzen

64 springen* springt – sprang – ist gesprungen

Sie springt vor Freude in die Luft.

Indikativ

	Präsens	Imperfekt	Perfekt	Plusquamperfekt
ich	spring e	sprang	bin gesprungen	war gesprungen
du	spring st	sprang st	bist gesprungen	warst gesprungen
er/sie/es	spring t	sprang	ist gesprungen	war gesprungen
wir	spring en	sprang en	sind gesprungen	waren gesprungen
ihr	spring t	sprang t	seid gesprungen	wart gesprungen
sie/Sie	spring en	sprang en	sind gesprungen	waren gesprungen

	Futur I	Futur II	Imperativ	Infinitiv
ich	werde springen	werde gesprungen sein	–	**Präs.:** springen
du	wirst springen	wirst gesprungen sein	spring	**Perf.:** gesprungen
er/sie/es	wird springen	wird gesprungen sein	–	sein
wir	werden springen	werden gesprungen sein	spring en wir	**Partizip**
ihr	werdet springen	werdet gesprungen sein	spring t	**Präs.:** springend
sie/Sie	werden springen	werden gesprungen sein	spring en Sie	**Perf.:** gesprungen

Konjunktiv

Konjunktiv I

	Gegenwart	Vergangenheit	Zukunft	
ich	spring e	sei gesprungen	werde springen	werde gesprungen sein
du	spring est	sei(e)st gesprungen	werdest springen	werdest gesprungen sein
er/sie/es	spring e	sei gesprungen	werde springen	werde gesprungen sein
wir	spring en	seien gesprungen	werden springen	werden gesprungen sein
ihr	spring et	seiet gesprungen	werdet springen	werdet gesprungen sein
sie/Sie	spring en	seien gesprungen	werden springen	werden gesprungen sein

Konjunktiv II

	Gegenwart / Zukunft		Vergangenheit
ich	spräng e	würde springen	wäre gesprungen
du	spräng est	würdest springen	wär(e)st gesprungen
er/sie/es	spräng e	würde springen	wäre gesprungen
wir	spräng en	würden springen	wären gesprungen
ihr	spräng et	würdet springen	wär(e)t gesprungen
sie/Sie	spräng en	würden springen	wären gesprungen

Ebenso:					
anspringen (ist)	**dringen** (ist)	**gelingen** (ist)	**ringen**	**schlingen**	**wringen**
einspringen (ist)	eindringen (ist)	misslingen	**singen**	verschlingen	**zwingen**
überspringen	vordringen (ist)	**klingen**	vorsingen	**schwingen**	bezwingen

65 stehen* steht – stand – hat gestanden

Wir mussten stehen, weil der Zug so voll war.

Indikativ

	Präsens	Imperfekt	Perfekt	Plusquamperfekt
ich	steh e	stand	habe gestanden	hatte gestanden
du	steh st	stand (e)st	hast gestanden	hattest gestanden
er/sie/es	steh t	stand	hat gestanden	hatte gestanden
wir	steh en	stand en	haben gestanden	hatten gestanden
ihr	steh t	stand et	habt gestanden	hattet gestanden
sie/Sie	steh en	stand en	haben gestanden	hatten gestanden

	Futur I	Futur II	Imperativ	Infinitiv
ich	werde stehen	werde gestanden haben	–	**Präs.:** stehen
du	wirst stehen	wirst gestanden haben	steh	**Perf.:** gestanden
er/sie/es	wird stehen	wird gestanden haben	–	haben
wir	werden stehen	werden gestanden haben	steh en wir	**Partizip**
ihr	werdet stehen	werdet gestanden haben	steh t	**Präs.:** stehend
sie/Sie	werden stehen	werden gestanden haben	steh en Sie	**Perf.:** gestanden

Konjunktiv

Konjunktiv I

	Gegenwart	Vergangenheit	Zukunft	
ich	steh e	habe gestanden	werde stehen	werde gestanden haben
du	steh est	habest gestanden	werdest stehen	werdest gestanden haben
er/sie/es	steh e	habe gestanden	werde stehen	werde gestanden haben
wir	steh en	haben gestanden	werden stehen	werden gestanden haben
ihr	steh et	habet gestanden	werdet stehen	werdet gestanden haben
sie/Sie	steh en	haben gestanden	werden stehen	werden gestanden haben

Konjunktiv II

	Gegenwart / Zukunft		Vergangenheit
ich	stünd e	würde stehen	hätte gestanden
du	stünd est	würdest stehen	hättest gestanden
er/sie/es	stünd e	würde stehen	hätte gestanden
wir	stünd en	würden stehen	hätten gestanden
ihr	stünd et	würdet stehen	hättet gestanden
sie/Sie	stünd en	würden stehen	hätten gestanden

Ebenso:				
abstehen	aufstehen (ist)	entstehen (ist)	überstehen	vorstehen
anstehen	bestehen	gestehen	verstehen	zustehen

66 stehlen* stiehlt – stahl – hat gestohlen

Gestern hat jemand mein neues Fahrrad gestohlen.

Indikativ

	Präsens	Imperfekt	Perfekt	Plusquamperfekt
ich	stehl e	stahl	habe gestohlen	hatte gestohlen
du	stiehl st	stahl st	hast gestohlen	hattest gestohlen
er/sie/es	stiehl t	stahl	hat gestohlen	hatte gestohlen
wir	stehl en	stahl en	haben gestohlen	hatten gestohlen
ihr	stehl t	stahl t	habt gestohlen	hattet gestohlen
sie/Sie	stehl en	stahl en	haben gestohlen	hatten gestohlen

	Futur I	Futur II	Imperativ	Infinitiv
ich	werde stehlen	werde gestohlen haben	–	**Präs.:** stehlen
du	wirst stehlen	wirst gestohlen haben	stiehl	**Perf.:** gestohlen
er/sie/es	wird stehlen	wird gestohlen haben	–	haben
wir	werden stehlen	werden gestohlen haben	stehl en wir	**Partizip**
ihr	werdet stehlen	werdet gestohlen haben	stehl t	**Präs.:** stehlend
sie/Sie	werden stehlen	werden gestohlen haben	stehl en Sie	**Perf.:** gestohlen

Konjunktiv

Konjunktiv I

	Gegenwart	Vergangenheit	Zukunft	
ich	stehl e	habe gestohlen	werde stehlen	werde gestohlen haben
du	stehl est	habest gestohlen	werdest stehlen	werdest gestohlen haben
er/sie/es	stehl e	habe gestohlen	werde stehlen	werde gestohlen haben
wir	stehl en	haben gestohlen	werden stehlen	werden gestohlen haben
ihr	stehl et	habet gestohlen	werdet stehlen	werdet gestohlen haben
sie/Sie	stehl en	haben gestohlen	werden stehlen	werden gestohlen haben

Konjunktiv II

	Gegenwart / Zukunft		Vergangenheit
ich	stähl e	würde stehlen	hätte gestohlen
du	stähl est	würdest stehlen	hättest gestohlen
er/sie/es	stähl e	würde stehlen	hätte gestohlen
wir	stähl en	würden stehlen	hätten gestohlen
ihr	stähl et	würdet stehlen	hättet gestohlen
sie/Sie	stähl en	würden stehlen	hätten gestohlen

Ebenso:

bestehlen **befehlen** **empfehlen**

sich fortstehlen

67 sterben* stirbt – starb – ist gestorben

Mein Opa ist letztes Jahr gestorben.

Indikativ

	Präsens	Imperfekt	Perfekt	Plusquamperfekt
ich	sterb e	starb	bin gestorben	war gestorben
du	stirb st	starb st	bist gestorben	warst gestorben
er/sie/es	stirb t	starb	ist gestorben	war gestorben
wir	sterb en	starb en	sind gestorben	waren gestorben
ihr	sterb t	starb t	seid gestorben	wart gestorben
sie/Sie	sterb en	starb en	sind gestorben	waren gestorben

	Futur I	Futur II	Imperativ	Infinitiv
ich	werde sterben	werde gestorben sein	–	**Präs.:** sterben
du	wirst sterben	wirst gestorben sein	stirb	**Perf.:** gestorben sein
er/sie/es	wird sterben	wird gestorben sein	–	
wir	werden sterben	werden gestorben sein	sterb en wir	**Partizip**
ihr	werdet sterben	werdet gestorben sein	sterb t	**Präs.:** sterbend
sie/Sie	werden sterben	werden gestorben sein	sterb en Sie	**Perf.:** gestorben

Konjunktiv

Konjunktiv I

	Gegenwart	Vergangenheit	Zukunft	
ich	sterb e	sei gestorben	werde sterben	werde gestorben sein
du	sterb est	sei(e)st gestorben	werdest sterben	werdest gestorben sein
er/sie/es	sterb e	sei gestorben	werde sterben	werde gestorben sein
wir	sterb en	seien gestorben	werden sterben	werden gestorben sein
ihr	sterb et	seiet gestorben	werdet sterben	werdet gestorben sein
sie/Sie	sterb en	seien gestorben	werden sterben	werden gestorben sein

Konjunktiv II

	Gegenwart / Zukunft		Vergangenheit
ich	stürb e	würde sterben	wäre gestorben
du	stürb est	würdest sterben	wär(e)st gestorben
er/sie/es	stürb e	würde sterben	wäre gestorben
wir	stürb en	würden sterben	wären gestorben
ihr	stürb et	würdet sterben	wär(e)t gestorben
sie/Sie	stürb en	würden sterben	wären gestorben

Ebenso:

aussterben (ist)	**verderben**	**bergen**	**bersten** (ist)	*Präs.:* du/er birst
versterben (ist)	**werben**	verbergen		*Imperf.:* du barstest
	erwerben	*Konj. II:* ich bärge		*Konj. II:* er bärste

68 stoßen stößt – stieß – hat/ist gestoßen

Ich bin mit dem Kopf gegen die Scheibe gestoßen.

Indikativ

	Präsens	**Imperfekt**	**Perfekt**	**Plusquamperfekt**
ich	stoß e	stieß	habe gestoßen	hatte gestoßen
du	stöß t	stieß t	hast gestoßen	hattest gestoßen
er/sie/es	stöß t	stieß	hat gestoßen	hatte gestoßen
wir	stoß en	stieß en	haben gestoßen	hatten gestoßen
ihr	stoß t	stieß t	habt gestoßen	hattet gestoßen
sie/Sie	stoß en	stieß en	haben gestoßen	hatten gestoßen

	Futur I	**Futur II**	**Imperativ**	**Infinitiv**
ich	werde stoßen	werde gestoßen haben	–	**Präs.:** stoßen
du	wirst stoßen	wirst gestoßen haben	stoß	**Perf.:** gestoßen
er/sie/es	wird stoßen	wird gestoßen haben	–	haben/sein
wir	werden stoßen	werden gestoßen haben	stoß en wir	**Partizip**
ihr	werdet stoßen	werdet gestoßen haben	stoß t	**Präs.:** stoßend
sie/Sie	werden stoßen	werden gestoßen haben	stoß en Sie	**Perf.:** gestoßen

Konjunktiv

Konjunktiv I

	Gegenwart	**Vergangenheit**	**Zukunft**	
ich	stoß e	habe gestoßen	werde stoßen	werde gestoßen haben
du	stoß est	habest gestoßen	werdest stoßen	werdest gestoßen haben
er/sie/es	stoß e	habe gestoßen	werde stoßen	werde gestoßen haben
wir	stoß en	haben gestoßen	werden stoßen	werden gestoßen haben
ihr	stoß et	habet gestoßen	werdet stoßen	werdet gestoßen haben
sie/Sie	stoß en	haben gestoßen	werden stoßen	werden gestoßen haben

Konjunktiv II

	Gegenwart / Zukunft		**Vergangenheit**
ich	stieß e	würde stoßen	hätte gestoßen
du	stieß est	würdest stoßen	hättest gestoßen
er/sie/es	stieß e	würde stoßen	hätte gestoßen
wir	stieß en	würden stoßen	hätten gestoßen
ihr	stieß et	würdet stoßen	hättet gestoßen
sie/Sie	stieß en	würden stoßen	hätten gestoßen

Ebenso:

abstoßen	ausstoßen	vorstoßen (ist)	zustoßen (hat/ist)
anstoßen (hat/ist)	umstoßen	verstoßen	zusammenstoßen (ist)

69 tragen* trägt – trug – hat getragen

Er trägt gern Hemd und Krawatte.

Indikativ

	Präsens	Imperfekt	Perfekt	Plusquamperfekt
ich	trag e	trug	habe getragen	hatte getragen
du	träg st	trug st	hast getragen	hattest getragen
er/sie/es	träg t	trug	hat getragen	hatte getragen
wir	trag en	trug en	haben getragen	hatten getragen
ihr	trag t	trug t	habt getragen	hattet getragen
sie/Sie	trag en	trug en	haben getragen	hatten getragen

	Futur I	Futur II	Imperativ	Infinitiv
ich	werde tragen	werde getragen haben	–	**Präs.:** tragen
du	wirst tragen	wirst getragen haben	trag	**Perf.:** getragen
er/sie/es	wird tragen	wird getragen haben	–	haben
wir	werden tragen	werden getragen haben	trag en wir	**Partizip**
ihr	werdet tragen	werdet getragen haben	trag t	**Präs.:** tragend
sie/Sie	werden tragen	werden getragen haben	trag en Sie	**Perf.:** getragen

Konjunktiv

Konjunktiv I

	Gegenwart	Vergangenheit	Zukunft	
ich	trag e	habe getragen	werde tragen	werde getragen haben
du	trag est	habest getragen	werdest tragen	werdest getragen haben
er/sie/es	trag e	habe getragen	werde tragen	werde getragen haben
wir	trag en	haben getragen	werden tragen	werden getragen haben
ihr	trag et	habet getragen	werdet tragen	werdet getragen haben
sie/Sie	trag en	haben getragen	werden tragen	werden getragen haben

Konjunktiv II

	Gegenwart / Zukunft		Vergangenheit
ich	trüg e	würde tragen	hätte getragen
du	trüg est	würdest tragen	hättest getragen
er/sie/es	trüg e	würde tragen	hätte getragen
wir	trüg en	würden tragen	hätten getragen
ihr	trüg et	würdet tragen	hättet getragen
sie/Sie	trüg en	würden tragen	hätten getragen

Ebenso:			
beauftragen	vertragen	**schlagen**	**graben**
betragen	sich zutragen	erschlagen	begraben
ertragen		vorschlagen	vergraben

70 treffen* trifft – traf – hat getroffen

Ich habe Isabel gestern in der Stadt getroffen.

Indikativ

	Präsens	Imperfekt	Perfekt	Plusquamperfekt
ich	treff e	traf	habe getroffen	hatte getroffen
du	triff st	traf st	hast getroffen	hattest getroffen
er/sie/es	trifft t	traf	hat getroffen	hatte getroffen
wir	treff en	traf en	haben getroffen	hatten getroffen
ihr	treff t	traf t	habt getroffen	hattet getroffen
sie/Sie	treff en	traf en	haben getroffen	hatten getroffen

	Futur I	Futur II	Imperativ	Infinitiv
ich	werde treffen	werde getroffen haben	–	**Präs.:** treffen
du	wirst treffen	wirst getroffen haben	triff	**Perf.:** getroffen haben
er/sie/es	wird treffen	wird getroffen haben	–	
wir	werden treffen	werden getroffen haben	treff en wir	**Partizip**
ihr	werdet treffen	werdet getroffen haben	treff t	**Präs.:** treffend
sie/Sie	werden treffen	werden getroffen haben	treff en Sie	**Perf.:** getroffen

Konjunktiv

Konjunktiv I

	Gegenwart	Vergangenheit	Zukunft	
ich	treff e	habe getroffen	werde treffen	getroffen haben
du	treff est	habest getroffen	werdest treffen	getroffen haben
er/sie/es	treff e	habe getroffen	werde treffen	getroffen haben
wir	treff en	haben getroffen	werden treffen	getroffen haben
ihr	treff et	habet getroffen	werdet treffen	getroffen haben
sie/Sie	treff en	haben getroffen	werden treffen	getroffen haben

Konjunktiv II

	Gegenwart / Zukunft		Vergangenheit
ich	träf e	würde treffen	hätte getroffen
du	träf est	würdest treffen	hättest getroffen
er/sie/es	träf et	würde treffen	hätte getroffen
wir	träf en	würden treffen	hätten getroffen
ihr	träf et	würdet treffen	hättet getroffen
sie/Sie	träf en	würden treffen	hätten getroffen

Ebenso:

antreffen	eintreffen	zutreffen
betreffen	übertreffen	

71 treten* tritt – trat – hat/ist getreten

Ich bin in einen Kaugummi getreten.

Indikativ

	Präsens	Imperfekt	Perfekt	Plusquamperfekt
ich	tret e	trat	habe getreten	hatte getreten
du	tritt st	trat (e)st	hast getreten	hattest getreten
er/sie/es	tritt	trat	hat getreten	hatte getreten
wir	tret en	trat en	haben getreten	hatten getreten
ihr	tret et	trat et	habt getreten	hattet getreten
sie/Sie	tret en	trat en	haben getreten	hatten getreten

	Futur I	Futur II	Imperativ	Infinitiv
ich	werde treten	werde getreten haben	–	**Präs.:** treten
du	wirst treten	wirst getreten haben	tritt	**Perf.:** getreten
er/sie/es	wird treten	wird getreten haben	–	haben/sein
wir	werden treten	werden getreten haben	tret en wir	**Partizip**
ihr	werdet treten	werdet getreten haben	tret et	**Präs.:** tretend
sie/Sie	werden treten	werden getreten haben	tret en Sie	**Perf.:** getreten

Konjunktiv

Konjunktiv I

	Gegenwart	Vergangenheit	Zukunft	
ich	tret e	habe getreten	werde treten	werde getreten haben
du	tret est	habest getreten	werdest treten	werdest getreten haben
er/sie/es	tret e	habe getreten	werde treten	werde getreten haben
wir	tret en	haben getreten	werden treten	werden getreten haben
ihr	tret et	habet getreten	werdet treten	werdet getreten haben
sie/Sie	tret en	haben getreten	werden treten	werden getreten haben

Konjunktiv II

	Gegenwart / Zukunft		Vergangenheit
ich	trät e	würde treten	hätte getreten
du	trät est	würdest treten	hättest getreten
er/sie/es	trät e	würde treten	hätte getreten
wir	trät en	würden treten	hätten getreten
ihr	trät et	würdet treten	hättet getreten
sie/Sie	trät en	würden treten	hätten getreten

Ebenso:		
antreten (hat/ist)	beitreten (ist)	übertreten (hat/ist)
auftreten (hat/ist)	betreten	vortreten (ist)
austreten (hat/ist)	eintreten (hat/ist)	zutreten (hat/ist)

72 trinken* trinkt – trank – hat getrunken

Ich trinke lieber Tee als Kaffee.

Indikativ

	Präsens	Imperfekt	Perfekt	Plusquamperfekt
ich	trink e	trank	habe getrunken	hatte getrunken
du	trink st	trank st	hast getrunken	hattest getrunken
er/sie/es	trink t	trank	hat getrunken	hatte getrunken
wir	trink en	trank en	haben getrunken	hatten getrunken
ihr	trink t	trank t	habt getrunken	hattet getrunken
sie/Sie	trink en	trank en	haben getrunken	hatten getrunken

	Futur I	Futur II	Imperativ	Infinitiv
ich	werde trinken	werde getrunken haben	–	**Präs.:** trinken
du	wirst trinken	wirst getrunken haben	trink	**Perf.:** getrunken haben
er/sie/es	wird trinken	wird getrunken haben	–	
wir	werden trinken	werden getrunken haben	trink en wir	**Partizip**
ihr	werdet trinken	werdet getrunken haben	trink t	**Präs.:** trinkend
sie/Sie	werden trinken	werden getrunken haben	trink en Sie	**Perf.:** getrunken

Konjunktiv

Konjunktiv I

	Gegenwart	Vergangenheit	Zukunft	
ich	trink e	habe getrunken	werde trinken	werde getrunken haben
du	trink est	habest getrunken	werdest trinken	werdest getrunken haben
er/sie/es	trink e	habe getrunken	werde trinken	werde getrunken haben
wir	trink en	haben getrunken	werden trinken	werden getrunken haben
ihr	trink et	habet getrunken	werdet trinken	werdet getrunken haben
sie/Sie	trink en	haben getrunken	werden trinken	werden getrunken haben

Konjunktiv II

	Gegenwart / Zukunft		Vergangenheit
ich	tränk e	würde trinken	hätte getrunken
du	tränk est	würdest trinken	hättest getrunken
er/sie/es	tränk e	würde trinken	hätte getrunken
wir	tränk en	würden trinken	hätten getrunken
ihr	tränk et	würdet trinken	hättet getrunken
sie/Sie	tränk en	würden trinken	hätten getrunken

Ebenso:

austrinken	**sinken** (ist)	**stinken**
sich betrinken	absinken (ist)	
ertrinken (ist)	versinken (ist)	

73 tun* tut – tat – hat getan

Mein Knie tut weh.

Indikativ

	Präsens	Imperfekt	Perfekt	Plusquamperfekt
ich	tu e	tat	habe getan	hatte getan
du	tu st	tat st	hast getan	hattest getan
er/sie/es	tu t	tat	hat getan	hatte getan
wir	tu n	tat en	haben getan	hatten getan
ihr	tu t	tat et	habt getan	hattet getan
sie/Sie	tu n	tat en	haben getan	hatten getan

	Futur I	Futur II	Imperativ	Infinitiv
ich	werde tun	werde getan haben	–	**Präs.:** tun
du	wirst tun	wirst getan haben	tu	**Perf.:** getan haben
er/sie/es	wird tun	wird getan haben	–	
wir	werden tun	werden getan haben	tu n wir	**Partizip**
ihr	werdet tun	werdet getan haben	tu t	**Präs.:** tuend
sie/Sie	werden tun	werden getan haben	tu n Sie	**Perf.:** getan

Konjunktiv

Konjunktiv I

	Gegenwart	Vergangenheit	Zukunft	
ich	tu e	habe getan	werde tun	werde getan haben
du	tu est	habest getan	werdest tun	werdest getan haben
er/sie/es	tu e	habe getan	werde tun	werde getan haben
wir	tu en	haben getan	werden tun	werden getan haben
ihr	tu et	habet getan	werdet tun	werdet getan haben
sie/Sie	tu en	haben getan	werden tun	werden getan haben

Konjunktiv II

	Gegenwart / Zukunft		Vergangenheit
ich	tät e	würde tun	hätte getan
du	tät est	würdest tun	hättest getan
er/sie/es	tät e	würde tun	hätte getan
wir	tät en	würden tun	hätten getan
ihr	tät et	würdet tun	hättet getan
sie/Sie	tät en	würden tun	hätten getan

Ebenso:
antun
auftun
vertun

74 vergessen* vergisst – vergaß – hat vergessen

Ich habe deinen Geburtstag nicht vergessen.

Indikativ

	Präsens	Imperfekt	Perfekt	Plusquamperfekt
ich	vergess e	vergaß	habe vergessen	hatte vergessen
du	vergiss t	vergaß t	hast vergessen	hattest vergessen
er/sie/es	vergiss t	vergaß	hat vergessen	hatte vergessen
wir	vergess en	vergaß en	haben vergessen	hatten vergessen
ihr	vergess t	vergaß t	habt vergessen	hattet vergessen
sie/Sie	vergess en	vergaß en	haben vergessen	hatten vergessen

	Futur I	Futur II	Imperativ	Infinitiv
ich	werde vergessen	werde vergessen haben	–	**Präs.:** vergessen
du	wirst vergessen	wirst vergessen haben	vergiss	**Perf.:** vergessen
er/sie/es	wird vergessen	wird vergessen haben	–	haben
wir	werden vergessen	werden vergessen haben	vergess en wir	**Partizip**
ihr	werdet vergessen	werdet vergessen haben	vergess t	**Präs.:** vergessend
sie/Sie	werden vergessen	werden vergessen haben	vergess en Sie	**Perf.:** vergessen

Konjunktiv

Konjunktiv I

	Gegenwart	Vergangenheit	Zukunft	
ich	vergess e	habe vergessen	werde vergessen	werde vergessen haben
du	vergess est	habest vergessen	werdest vergessen	werdest vergessen haben
er/sie/es	vergess e	habe vergessen	werde vergessen	werde vergessen haben
wir	vergess en	haben vergessen	werden vergessen	werden vergessen haben
ihr	vergess et	habet vergessen	werdet vergessen	werdet vergessen haben
sie/Sie	vergess en	haben vergessen	werden vergessen	werden vergessen haben

Konjunktiv II

	Gegenwart / Zukunft		Vergangenheit
ich	vergäß e	würde vergessen	hätte vergessen
du	vergäß est	würdest vergessen	hättest vergessen
er/sie/es	vergäß e	würde vergessen	hätte vergessen
wir	vergäß en	würden vergessen	hätten vergessen
ihr	vergäß et	würdet vergessen	hättet vergessen
sie/Sie	vergäß en	würden vergessen	hätten vergessen

Ebenso:

essen	**fressen**	**messen**
aufessen	auffressen	beimessen
PP: gegessen	zerfressen	ermessen

75 verlieren* verliert – verlor – hat verloren

Paula hat ihren Schal in der Schule verloren.

Indikativ

	Präsens	Imperfekt	Perfekt	Plusquamperfekt
ich	verlier e	verlor	habe verloren	hatte verloren
du	verlier st	verlor st	hast verloren	hattest verloren
er/sie/es	verlier t	verlor	hat verloren	hatte verloren
wir	verlier en	verlor en	haben verloren	hatten verloren
ihr	verlier t	verlor t	habt verloren	hattet verloren
sie/Sie	verlier en	verlor en	haben verloren	hatten verloren

	Futur I	Futur II	Imperativ	Infinitiv
ich	werde verlieren	werde verloren haben	–	**Präs.:** verlieren
du	wirst verlieren	wirst verloren haben	verlier	**Perf.:** verloren
er/sie/es	wird verlieren	wird verloren haben	–	haben
wir	werden verlieren	werden verloren haben	verlier en wir	**Partizip**
ihr	werdet verlieren	werdet verloren haben	verlier t	**Präs.:** verlierend
sie/Sie	werden verlieren	werden verloren haben	verlier en Sie	**Perf.:** verloren

Konjunktiv

Konjunktiv I

	Gegenwart	Vergangenheit	Zukunft	
ich	verlier e	habe verloren	werde verlieren	werde verloren haben
du	verlier est	habest verloren	werdest verlieren	werdest verloren haben
er/sie/es	verlier e	habe verloren	werde verlieren	werde verloren haben
wir	verlier en	haben verloren	werden verlieren	werden verloren haben
ihr	verlier et	habet verloren	werdet verlieren	werdet verloren haben
sie/Sie	verlier en	haben verloren	werden verlieren	werden verloren haben

Konjunktiv II

	Gegenwart / Zukunft		Vergangenheit
ich	verlör e	würde verlieren	hätte verloren
du	verlör est	würdest verlieren	hättest verloren
er/sie/es	verlör e	würde verlieren	hätte verloren
wir	verlör en	würden verlieren	hätten verloren
ihr	verlör et	würdet verlieren	hättet verloren
sie/Sie	verlör en	würden verlieren	hätten verloren

Ebenso:

frieren	**schwören**	beschwören
erfrieren (ist)	*Konj. II:* ich schwüre	sich verschwören
zufrieren (ist)		

76 wachsen* wächst – wuchs – ist gewachsen

Mein Sohn ist im letzten Jahr zehn Zentimeter gewachsen.

Indikativ

	Präsens	Imperfekt	Perfekt	Plusquamperfekt
ich	wachs e	wuchs	bin gewachsen	war gewachsen
du	wächs t	wuchs t	bist gewachsen	warst gewachsen
er/sie/es	wächs t	wuchs	ist gewachsen	war gewachsen
wir	wachs en	wuchs en	sind gewachsen	waren gewachsen
ihr	wachs t	wuchs t	seid gewachsen	wart gewachsen
sie/Sie	wachs en	wuchs en	sind gewachsen	waren gewachsen

	Futur I	Futur II	Imperativ	Infinitiv
ich	werde wachsen	werde gewachsen sein	–	**Präs.:** wachsen
du	wirst wachsen	wirst gewachsen sein	wachs	**Perf.:** gewachsen sein
er/sie/es	wird wachsen	wird gewachsen sein	–	
wir	werden wachsen	werden gewachsen sein	wachs en wir	**Partizip**
ihr	werdet wachsen	werdet gewachsen sein	wachs t	**Präs.:** wachsend
sie/Sie	werden wachsen	werden gewachsen sein	wachs en Sie	**Perf.:** gewachsen

Konjunktiv

Konjunktiv I

	Gegenwart	Vergangenheit	Zukunft	
ich	wachs e	sei gewachsen	werde wachsen	werde gewachsen sein
du	wachs est	sei(e)st gewachsen	werdest wachsen	werdest gewachsen sein
er/sie/es	wachs e	sei gewachsen	werde wachsen	werde gewachsen sein
wir	wachs en	seien gewachsen	werden wachsen	werden gewachsen sein
ihr	wachs et	seiet gewachsen	werdet wachsen	werdet gewachsen sein
sie/Sie	wachs en	seien gewachsen	werden wachsen	werden gewachsen sein

Konjunktiv II

	Gegenwart / Zukunft		Vergangenheit
ich	wüchs e	würde wachsen	wäre gewachsen
du	wüchs est	würdest wachsen	wär(e)st gewachsen
er/sie/es	wüchs e	würde wachsen	wäre gewachsen
wir	wüchs en	würden wachsen	wären gewachsen
ihr	wüchs et	würdet wachsen	wär(e)t gewachsen
sie/Sie	wüchs en	würden wachsen	wären gewachsen

Ebenso:
anwachsen (ist)
aufwachsen (ist)
entwachsen (ist)

77 waschen* wäscht – wusch – hat gewaschen

Ich wasche mir jeden Tag die Haare.

Indikativ

	Präsens	Imperfekt	Perfekt	Plusquamperfekt
ich	wasch e	wusch	habe gewaschen	hatte gewaschen
du	wäsch st	wusch st	hast gewaschen	hattest gewaschen
er/sie/es	wäsch t	wusch	hat gewaschen	hatte gewaschen
wir	wasch en	wusch en	haben gewaschen	hatten gewaschen
ihr	wasch t	wusch t	habt gewaschen	hattet gewaschen
sie/Sie	wasch en	wusch en	haben gewaschen	hatten gewaschen

	Futur I	Futur II	Imperativ	Infinitiv
ich	werde waschen	werde gewaschen haben	–	**Präs.:** waschen
du	wirst waschen	wirst gewaschen haben	wasch	**Perf.:** gewaschen
er/sie/es	wird waschen	wird gewaschen haben	–	haben
wir	werden waschen	werden gewaschen haben	wasch en wir	**Partizip**
ihr	werdet waschen	werdet gewaschen haben	wasch t	**Präs.:** waschend
sie/Sie	werden waschen	werden gewaschen haben	wasch en Sie	**Perf.:** gewaschen

Konjunktiv

Konjunktiv I

	Gegenwart	Vergangenheit	Zukunft	
ich	wasch e	habe gewaschen	werde waschen	werde gewaschen haben
du	wasch est	habest gewaschen	werdest waschen	werdest gewaschen haben
er/sie/es	wasch e	habe gewaschen	werde waschen	werde gewaschen haben
wir	wasch en	haben gewaschen	werden waschen	werden gewaschen haben
ihr	wasch et	habet gewaschen	werdet waschen	werdet gewaschen haben
sie/Sie	wasch en	haben gewaschen	werden waschen	werden gewaschen haben

Konjunktiv II

	Gegenwart / Zukunft		Vergangenheit
ich	wüsch e	würde waschen	hätte gewaschen
du	wüsch est	würdest waschen	hättest gewaschen
er/sie/es	wüsch e	würde waschen	hätte gewaschen
wir	wüsch en	würden waschen	hätten gewaschen
ihr	wüsch et	würdet waschen	hättet gewaschen
sie/Sie	wüsch en	würden waschen	hätten gewaschen

Ebenso:
abwaschen
auswaschen

78 weisen weist – wies – hat gewiesen

Niemand konnte mir den Weg weisen.

Indikativ

	Präsens	Imperfekt	Perfekt	Plusquamperfekt
ich	weis e	wies	habe gewiesen	hatte gewiesen
du	weis t	wies t	hast gewiesen	hattest gewiesen
er/sie/es	weis t	wies	hat gewiesen	hatte gewiesen
wir	weis en	wies en	haben gewiesen	hatten gewiesen
ihr	weis t	wies t	habt gewiesen	hattet gewiesen
sie/Sie	weis en	wies en	haben gewiesen	hatten gewiesen

	Futur I	Futur II	Imperativ	Infinitiv
ich	werde weisen	werde gewiesen haben	–	**Präs.:** weisen
du	wirst weisen	wirst gewiesen haben	weis	**Perf.:** gewiesen
er/sie/es	wird weisen	wird gewiesen haben	–	haben
wir	werden weisen	werden gewiesen haben	weis en wir	**Partizip**
ihr	werdet weisen	werdet gewiesen haben	weis t	**Präs.:** weisend
sie/Sie	werden weisen	werden gewiesen haben	weis en Sie	**Perf.:** gewiesen

Konjunktiv

Konjunktiv I

	Gegenwart	Vergangenheit	Zukunft	
ich	weis e	habe gewiesen	werde weisen	werde gewiesen haben
du	weis est	habest gewiesen	werdest weisen	werdest gewiesen haben
er/sie/es	weis e	habe gewiesen	werde weisen	werde gewiesen haben
wir	weis en	haben gewiesen	werden weisen	werden gewiesen haben
ihr	weis et	habet gewiesen	werdet weisen	werdet gewiesen haben
sie/Sie	weis en	haben gewiesen	werden weisen	werden gewiesen haben

Konjunktiv II

	Gegenwart / Zukunft		Vergangenheit
ich	wies e	würde weisen	hätte gewiesen
du	wies est	würdest weisen	hättest gewiesen
er/sie/es	wies e	würde weisen	hätte gewiesen
wir	wies en	würden weisen	hätten gewiesen
ihr	wies et	würdet weisen	hättet gewiesen
sie/Sie	wies en	würden weisen	hätten gewiesen

Ebenso:

abweisen	hinweisen	**preisen**
anweisen	verweisen	anpreisen
ausweisen		

79 wissen* weiß – wusste – hat gewusst

Ich weiß keine Antwort auf deine Frage.

Indikativ

	Präsens	Imperfekt	Perfekt	Plusquamperfekt
ich	weiß	wuss te	habe gewusst	hatte gewusst
du	weiß t	wuss test	hast gewusst	hattest gewusst
er/sie/es	weiß	wuss te	hat gewusst	hatte gewusst
wir	wiss en	wuss ten	haben gewusst	hatten gewusst
ihr	wiss t	wuss tet	habt gewusst	hattet gewusst
sie/Sie	wiss en	wuss ten	haben gewusst	hatten gewusst

	Futur I	Futur II	Imperativ	Infinitiv
ich	werde wissen	werde gewusst haben	–	**Präs.:** wissen
du	wirst wissen	wirst gewusst haben	(wiss e)	**Perf.:** gewusst
er/sie/es	wird wissen	wird gewusst haben	–	haben
wir	werden wissen	werden gewusst haben	(wiss en wir)	**Partizip**
ihr	werdet wissen	werdet gewusst haben	(wiss t)	**Präs.:** wissend
sie/Sie	werden wissen	werden gewusst haben	(wiss en Sie)	**Perf.:** gewusst

Konjunktiv

Konjunktiv I

	Gegenwart	Vergangenheit	Zukunft	
ich	wiss e	habe gewusst	werde wissen	werde gewusst haben
du	wiss est	habest gewusst	werdest wissen	werdest gewusst haben
er/sie/es	wiss e	habe gewusst	werde wissen	werde gewusst haben
wir	wiss en	haben gewusst	werden wissen	werden gewusst haben
ihr	wiss et	habet gewusst	werdet wissen	werdet gewusst haben
sie/Sie	wiss en	haben gewusst	werden wissen	werden gewusst haben

Konjunktiv II

	Gegenwart / Zukunft		Vergangenheit
ich	wüsst e	würde wissen	hätte gewusst
du	wüsst est	würdest wissen	hättest gewusst
er/sie/es	wüsst e	würde wissen	hätte gewusst
wir	wüsst en	würden wissen	hätten gewusst
ihr	wüsst et	würdet wissen	hättet gewusst
sie/Sie	wüsst en	würden wissen	hätten gewusst

80 ziehen* zieht – zog – hat gezogen

Gestern wurde mir ein Zahn gezogen.

Indikativ

	Präsens	Imperfekt	Perfekt	Plusquamperfekt
ich	zieh e	zog	habe gezogen	hatte gezogen
du	zieh st	zog st	hast gezogen	hattest gezogen
er/sie/es	zieh t	zog	hat gezogen	hatte gezogen
wir	zieh en	zog en	haben gezogen	hatten gezogen
ihr	zieh t	zog t	habt gezogen	hattet gezogen
sie/Sie	zieh en	zog en	haben gezogen	hatten gezogen

	Futur I	Futur II	Imperativ	Infinitiv
ich	werde ziehen	werde gezogen haben	–	**Präs.:** ziehen
du	wirst ziehen	wirst gezogen haben	zieh	**Perf.:** gezogen
er/sie/es	wird ziehen	wird gezogen haben	–	haben
wir	werden ziehen	werden gezogen haben	zieh en wir	**Partizip**
ihr	werdet ziehen	werdet gezogen haben	zieh t	**Präs.:** ziehend
sie/Sie	werden ziehen	werden gezogen haben	zieh en Sie	**Perf.:** gezogen

Konjunktiv

Konjunktiv I

	Gegenwart	Vergangenheit	Zukunft	
ich	zieh e	habe gezogen	werde ziehen	werde gezogen haben
du	zieh est	habest gezogen	werdest ziehen	werdest gezogen haben
er/sie/es	zieh e	habe gezogen	werde ziehen	werde gezogen haben
wir	zieh en	haben gezogen	werden ziehen	werden gezogen haben
ihr	zieh et	habet gezogen	werdet ziehen	werdet gezogen haben
sie/Sie	zieh en	haben gezogen	werden ziehen	werden gezogen haben

Konjunktiv II

	Gegenwart / Zukunft		Vergangenheit
ich	zög e	würde ziehen	hätte gezogen
du	zög est	würdest ziehen	hättest gezogen
er/sie/es	zög e	würde ziehen	hätte gezogen
wir	zög en	würden ziehen	hätten gezogen
ihr	zög et	würdet ziehen	hättet gezogen
sie/Sie	zög en	würden ziehen	hätten gezogen

Ebenso:				
abziehen (hat/ist)	ausziehen (hat/ist)	entziehen	überziehen	vorziehen
anziehen	beziehen	erziehen	umziehen	wegziehen (hat/ist)
aufziehen (hat/ist)	einziehen (hat/ist)	hinterziehen	verziehen	zurückziehen (hat/ist)

81 Verben mit unregelmäßigem Partizip

Präsens	Imperfekt	Perfekt	
backen*	er backt/er bäckt	er backte	er hat gebacken
dingen	–	–	er hat gedungen
fechten	er fechtet (ficht)	er fechtete (focht)	er hat gefochten/gefechtet
flechten	er flechtet (flicht)	er flechtete (flocht)	er hat geflochten/geflechtet
hauen	er haut	er haute (hieb)	er hat gehauen
mahlen	er mahlt	er mahlte	er hat gemahlen
melken	er melkt	er melkte (molk)	er hat gemolken/gemelkt
salzen	er salzt	er salzte	er hat gesalzen
saugen	er saugt	er saugte (sog)	er hat gesogen/gesaugt
schalten	er schaltet	er schaltete	er hat geschaltet/ geschalten *ugs.*
scheinen	sie scheint	sie schien/sie scheinte	sie hat geschienen/gescheint
schinden	er schindet	er schindete (schund)	er hat geschunden
sieden	er siedet	er siedete (sott)	er hat gesotten
spalten	er spaltet	er spaltete	er hat gespalten/gespaltet
winken	er winkt	er winkte	er hat gewinkt/gewunken

82 Verben mit reduzierter Konjugation

	Präsens	Imperfekt	Perfekt
dünken	mich dünkt (deucht)	mich dünkte (deuchte)	mich hat gedünkt (gedeucht)
erkoren *PP* **auserkoren** *PP*	–	sie erkor	sie hat erkoren
erlöschen **verlöschen**	es erlischt	es erlosch	es ist erloschen
gären **vergären**	es gärt	es gärte (gor)	es hat gegärt es ist gegoren
gebären	sie gebärt (gebiert)	sie gebar	sie hat/ist geboren*

83 Verben mit Partizip ohne *ge-*

	Präsens
***Verben auf* -ieren**	
investieren	sie hat investiert
kredenzen	sie hat kredenzt
offenbaren	sie hat offenbart
posaunen	sie hat posaunt

	Präsens
prophezeien	sie hat prophezeit
rumoren	sie hat rumort
schmarotzen	sie hat schmarotzt
trompeten	sie hat trompetet

Verbregister

verbiegen 29c	Konjugation in Verbtabelle **29** *fliegen*	
	Regeln zu den trennbaren/untrennbaren Verben → S. 25	
	Ergänzung **a** bis **d**	
einladen 42a	**a** = trennbares Verb	*eingeladen*
ạnerkennen....... 40b	**b** = trennbares Verb, Partizip ohne *ge-*	*ich erkenne an / anerkannt*
bemẹrken 10c	**c** = untrennbares Verb	*bemerkt*
dụrchschauen 10da	**d** = trennbares und untrennbares Verb Partizip ohne und mit *ge-*	
durchschauen ... 10dc	*durchschauen → durchgeschaut / durchschaut*	
ạbwenden **11/62a**	*abwenden* hat eine regelmäßige Konjugation (Verbtabelle 11) und eine unregelmäßige (Verbtabelle 62) mit gleicher Bedeutung	
ạbhängen[1]* .... 10a ạbhängen[2] 36a	*abhängen* hat in der regelmäßigen Konjugation (Verbtabelle 10) und in der unregelmäßigen (Verbtabelle 36) unterschiedliche Bedeutungen	
abonnieren..... **10+83**	*abonnieren* wird regelmäßig konjugiert (Verbtabelle 10), das Partizip Perfekt hat aber eine besondere Form (Verbtabelle 83)	
downloaden *engl.* ... 11	englische Fremdwörter mit deutscher Konjugation z.B. *downloaden → downgeloadet*	
gehen (blau im Register)	Konjugation von *gehen* in eigener Verbtabelle	
*gehen**	Wortschatz *Zertifikat Deutsch* (B1)	
bịtten bzw. *baden*	Vokal mit Wortakzent ist kurz bzw. lang	
PP / Konj. / Imperf.	Partizip Perfekt / Konjunktiv / Imperfekt	
befịnden ***sich*** oder ***sich***[D]	Verb braucht Reflexivpronomen (Akkusativ oder Dativ)	
(ist) bzw. ***(hat/ist)***	Verb bildet Perfekt mit *sein* bzw. mit *sein* und/oder *haben*	
süddt. / österr. / schweiz.	regionalsprachliche Varianten	
ugs. / geschr.	Umgangsprache / geschriebene Sprache	

A

B

beleben ... 10c
belegen ... 10c
belehren ... 10c
beleidigen* ... 10c
belichten ... 11c
bellen ... 10
belohnen ... 10c
belügen ... 49c
bemächtigen sich ... 10c
bemängeln ... 12c
bemerken* ... 10c
bemessen ... 74c
bemitleiden ... 11c
bemühen* ... 10c
bemuttern ... 13c
benachrichtigen ... 10c
benachteiligen ... 10c
benehmen sich ... 51c
beneiden ... 11c
benennen ... 40c
benötigen ... 11c
benutzen* ... 14c
benützen *süddt. / österr. / schweiz.* ... 14c
beobachten* ... 11c
bequemen sich ... 10c
beraten* ... 52c
beratschlagen ... 10c
berauben ... 10c
berechnen ... 11c
berechtigen ... 10c
bereichern ... 13c
bereinigen ... 10c
bereiten ... 11c
bereuen ... 10c
bergen ... 67
berichten* ... 11c
berichtigen ... 10c
bersten (ist) ... 67
berücksichtigen* ... 10c
berufen ... 54c
beruhen ... 10c
beruhigen* ... 10c
berühren ... 10c
besänftigen ... 10c

besaufen sich *ugs.* ... 55c
beschädigen* ... 10c
beschaffen ... 10c
beschäftigen* ... 10c
bescheinigen ... 10c
bescheißen *ugs.* ... 16c
beschenken ... 10c
bescheren ... 10c
beschimpfen ... 10c
beschlagnahmen ... 10c
beschleunigen ... 10c
beschließen* ... 58c
beschmieren ... 10c
beschmutzen ... 14c
beschönigen ... 10c
beschränken ... 10c
beschreiben* ... 20c
beschuldigen ... 10c
beschützen ... 14c
beschweren* ... 10c
beschwichtigen ... 10c
beschwören ... 75c
besehen ... 61c
beseitigen ... 10c
besetzen ... 14c
besichtigen* ... 10c
besiegeln ... 12c
besiegen ... 10c
besinnen sich ... 15c
besitzen* ... 63c
besorgen* ... 10c
besprechen ... 21c
bessern sich ... 13
bestärken ... 10c
bestätigen* ... 10c
bestatten ... 11c
bestaunen ... 10c
bestechen ... 21c
bestehen* ... 65c
bestehlen ... 66c
besteigen ... 20c
bestellen* ... 10c
bestimmen* ... 10c
bestrafen* ... 10c
bestreichen ... 20c

bestreiken ... 10c
bestreiten ... 45c
besuchen* ... 10c
betätigen ... 10c
betäuben ... 10c
beteiligen ... 10c
beten* ... 11
betonen ... 10c
betrachten ... 11c
betragen* ... 69c
betreffen ... 70c
betreiben ... 20c
betreten ... 71c
betreuen* ... 10c
betrinken sich ... 72c
betrügen* ... 49c
betteln ... 12
beugen ... 10
beunruhigen ... 10c
beurlauben ... 10c
beurteilen ... 10c
bevölkern ... 13c
bevollmächtigen ... 10c
bevorstehen ... 65c
bevorzugen ... 10c
bewachen ... 10c
bewaffnen ... 11c
bewähren sich ... 10c
bewahren ... 10c
bewahrheiten sich ... 11c
bewältigen ... 10c
bewegen[1]* ... 10c
bewegen[2] ... 37c
beweisen* ... 78c
bewerben* sich ... 67c
bewerfen ... 39c
bewerten ... 11c
bewilligen ... 10c
bewirken ... 10c
bewirten ... 11c
bewohnen ... 10c
bewölken sich ... 10c
bewundern ... 13c
bezahlen* ... 10c
bezeichnen ... 11c

C

D

einsteigen* (ist) 20a
einstellen* 10a
einstufen* 10a
einstürzen (ist) 14a
eintauschen 10a
einteilen. 10a
eintragen 69a
eintreffen (ist). 70a
eintreten (hat/ist) 71a
einwandern (ist) 13a
einweichen. 10a
einweihen. 10a
einweisen. 78a
einwenden 11/62a
einwerfen. 39a
einwickeln 12a
einwilligen 10a
einwirken 10a
einzahlen* 10a
einziehen* (hat/ist). . . 80a
eislaufen (ist) 44a
eitern. 13
ekeln 12
eliminieren. . . . . 10+83
emanzipieren sich . . 10+83
empfangen 27c
empfehlen* 66c
empfinden 28c
empören 10c
emporkommen (ist) . . . 41a
enden. 11
engagieren . . . . 10+83
entbehren. 10c
entbinden 28c
entblößen 14c
entdecken*. 10c
enteignen 11c
entfachen 10c
entfallen (ist). 26c
entfernen 10c
entfesseln. 12c
entflechten . . . . 11+81c
entfliehen(ist) 29c
entführen 10c
entgegengehen (ist) . . 31a
entgegenkommen (ist) . 41a
entgegennehmen 51a
entgegentreten (ist). . . 71a
entgegnen 11c
entgehen (ist) 31c
entgleisen (ist). 14c
enthalten* 35c
entheben 37c
entkleiden 11c
entkommen (ist). 41c
entkräften 11c
entladen. 42c
entlassen* 43c
entlasten 11c
entlaufen (ist) 44c
entledigen sich. 10c
entleihen 46c
entmutigen. 10c
entnehmen 51c
entreißen 16c
entrichten 11c
entrinnen (ist) 15c
entsagen 10c
entschädigen 10c
entscheiden* 50c
entschlafen(ist) 57c
entschließen* sich 58c
entschuldigen*. 10c
entsinnen sich 15c
entspannen 10c
entsprechen 21c
entstehen* (ist) 65c
entstellen. 10c
enttäuschen* 10c
entwachsen ist 76c
entweichen (ist) 33c
entwenden 11c
entwerfen. 39c
entwerten. 11c
entwickeln* 12c
entwischen (ist) *ugs.* . . 10c
entziehen 80c
entzweien. 10c
erachten. 11c
erarbeiten. 11c
erbauen 10c
erben 10
erbeuten. 11c
erbitten 18c
erblicken 10c
erdulden. 11c
ereignen sich* 11c
erfahren* 25c
erfassen 14c
erfinden*. 28c
erfolgen (ist) 10c
erfordern 13c
erforschen 10c
erfrieren (ist) 75c
erfrischen. 10c
erfüllen* 10c
ergänzen 14c
ergeben 30c
ergehen (ist) 31c
ergreifen 34c
erhalten* 35c
erheben 37c
erhoffen 10c
erhöhen* 10c
erholen sich* 10c
erinnern*. 13
erkälten sich*. 11c
erkämpfen 10c
erkennen* 40c
erklären* 10c
erklimmen 58c
erkoren *PP* 82
erkranken(ist) 10c
erkundigen sich* 10c
erlangen. 10c
erlassen 43c
erlauben*. 10c
erläutern 13c
erleben*. 10c
erledigen* 10c
erleichtern 13c
erleiden 45c
erlernen 10c
erliegen (ist) 48c
erlöschen (ist) 82

F

handhaben
PP gehandhabt ... 1
hängen[1]* ... 10
hängen[2]* (ist) ... 36
hantieren ... 10+83
hapern ... 13
harren ... 10
härten ... 11
hassen* ... 14
hasten (ist) ... 11
hätscheln ... 12
hauen ... 10+81
häufen ... 10
hausen ... 14
haushalten
PP gehaushaltet ... 11
heben* ... 37
heften ... 11
hegen ... 10
heilen ... 10
heimfahren (hat/ist) ... 25a
heimkehren (ist) ... 10a
heimzahlen ... 10a
heiraten* ... 11
heißen* ... 38
heizen* ... 14
helfen* ... 39
hemmen ... 10
herabfallen (ist) ... 26a
heranfahren (hat/ist) ... 25a
heranwachsen (ist) ... 76a
heraufbeschwören ... 75b
herausbekommen ... 41b
herausfordern ... 13a
herausgeben ... 30a
heraushalten ... 35a
herauskommen* (ist) ... 41a
herausnehmen ... 51a
herausstellen ... 10a
hereinfallen (ist) ... 26a
hereinkommen (ist) ... 41a
hereinlassen ... 43a
hergeben ... 30a
herrschen* ... 10
herrühren ... 10a
herstellen* ... 10a
herüberkommen (ist) ... 41a
herumgehen (ist) ... 31a
herumkommen (ist) ... 41a
herumtreiben sich ... 20a
herunterfallen (ist) ... 26a
herunterkommen (ist) ... 41a
herunterladen ... 42a
hervorbringen ... 22a
hervorgehen (ist) ... 31a
hervorheben ... 37a
hervorkommen (ist) ... 41a
hervorrufen ... 54a
hervortreten (ist) ... 71a
hetzen(hat/ist) ... 14
heucheln ... 12
heulen ... 10
hexen ... 14
hinausfahren (hat/ist) ... 25a
hinausgehen (ist) ... 31a
hinauslaufen (ist) ... 44a
hinauswerfen ... 39a
hinauszögern ... 13a
hindern* ... 13
hineinlegen ... 10a
hinfallen (ist) ... 26a
hinfinden ... 28a
hinführen ... 10a
hinhalten ... 35a
hinken (hat/ist) ... 10
hinkommen (ist) ... 41a
hinkriegen *ugs.* ... 10a
hinlegen ... 10a
hinnehmen ... 51a
hinrichten ... 11a
hinsetzen * ... 14a
hintergehen ... 31c
hinterherlaufen (ist) ... 44a
hinterlassen ... 43c
hinterlegen ... 10c
hintertreiben ... 20c
hinterziehen ... 80c
hinwegkommen (ist) ... 41a
hinwegsehen ... 61a
hinwegsetzen(hat/ist) ... 14a
hinweisen ... 78a
hinziehen (hat/ist) ... 80a
hinzufügen ... 10a
hinzukommen (ist) ... 41a
hinzuziehen ... 80a
hissen ... 14
hobeln ... 12
hochheben ... 37a
hochreißen ... 16a
hocken(hat/ist) ... 10
hoffen* ... 10
holen* ... 10
holpern (hat/ist) ... 13
honorieren ... 10+83
hopsen (ist) ... 14
horchen ... 10
hören* ... 10
horten ... 11
hüllen ... 10
humpeln (hat/ist) ... 12
hungern ... 13
hupen* ... 10
hüpfen (ist) ... 10
huschen (ist) ... 10
hüsteln ... 12
husten* ... 11
hüten ... 11

I

identifizieren ... 10+83
ignorieren ... 10+83
imitieren ... 10+83
impfen ... 10
imponieren ... 10+83
importieren ... 10+83
informieren* ... 10+83
innehaben ... 1a
inspirieren ... 10+83
installieren ... 10+83
inszenieren ... 10+83
integrieren ... 10+83
interessieren* ... 10+83
intervenieren ... 10+83
interviewen *engl.* ... 10+83

M

sprießen (ist) . . . 58
springen* . . . 64
spritzen (hat/ist) . . . 14
sprudeln (hat/ist) . . . 12
spucken . . . 10
spuken . . . 10
spülen* . . . 10
spüren . . . 10
spurten . . . 11
sputen sich . . . 11
stammeln . . . 12
stammen . . . 10
standhalten . . . 35a
stärken . . . 10
starren . . . 10
starten* (hat/ist) . . . 11
stattfinden* . . . 28a
stattgeben . . . 30a
stauen . . . 10
staunen . . . 10
stechen . . . 21
stecken* (hat/ist) . . . 10
stehen* (hat/ist) . . . 65
stehenbleiben (ist) . . . 20a
stehenlassen . . . 43a
stehlen* . . . 66
steigen* (ist) . . . 20
steigern . . . 13
stellen* . . . 10
stemmen . . . 10
stempeln . . . 12
sterben* (ist) . . . 67
steuern . . . 13
sticken . . . 10
stieben (ist) . . . 29
stieren . . . 10
stiften . . . 11
stillen . . . 10
stillhalten . . . 35a
stilllegen . . . 10a
stimmen* . . . 10
stinken* . . . 72
stocken . . . 10
stöhnen . . . 10
stolpern (ist) . . . 13
stopfen . . . 10
stoppen* . . . 10
stören* . . . 10
stornieren . . . 10+83
stoßen (hat/ist) . . . 68
stottern . . . 13
strafen . . . 10
strahlen . . . 10
stranden (ist) . . . 11
sträuben . . . 10
straucheln (ist) . . . 12
streben (hat/ist) . . . 10
strecken . . . 10
streichen . . . 33
streifen (hat/ist) . . . 10
streiken* . . . 10
streiten* . . . 45
stretchen *engl.* . . . 10
streuen . . . 10
stricken . . . 10
strömen (ist) . . . 10
strotzen . . . 14
studieren* . . . 10+83
stülpen . . . 10
stunden . . . 11
stürmen (hat/ist) . . . 10
stürzen* (ist) . . . 14
stutzen . . . 14
stützen . . . 14
stylen *engl.* . . . 10
suchen* . . . 10
sündigen . . . 10
surfen *engl.* . . . 10
süßen . . . 14

T

tadeln . . . 12
tagen . . . 10
tanken* . . . 10
tanzen* (hat/ist) . . . 14
tapezieren . . . 10+83
tarnen . . . 10
tasten . . . 11
tauchen (hat/ist) . . . 10
tauen . . . 10
taufen . . . 10
taugen . . . 10
taumeln (hat/ist) . . . 12
tauschen . . . 10
täuschen . . . 10
teilen* . . . 10
teilhaben . . . 1a
teilnehmen* . . . 51a
telefonieren* . . . 10+83
testen . . . 11
tilgen . . . 10
tippen* . . . 10
toasten *engl.* . . . 11
toben (hat/ist) . . . 10
tönen . . . 10
tosen . . . 14
töten* . . . 11
totschlagen . . . 69a
trachten . . . 11
tragen* . . . 69
trainieren* . . . 10+83
trällern . . . 13
trampeln (hat/ist) . . . 12
tränen . . . 10
transportieren* . . . 10+83
trauen . . . 10
trauern . . . 13
träufeln . . . 12
träumen* . . . 10
treffen* . . . 70
treiben* . . . 20
trennen* . . . 10
treten* . . . 71
triefen (hat/ist)
geschr. Imperf. troff . . . 10
trinken* . . . 72
trocknen* (hat/ist) . . . 11
trödeln . . . 12
trommeln . . . 12
trompeten . . . 11+83
tröpfeln . . . 12
tropfen . . . 10
trösten . . . 11
trotzen . . . 14

U

V

vergraben ... 69c
vergraulen ... 10c
vergrößern* ... 13c
vergüten ... 11c
verhaften* ... 11c
verhalten* sich ... 35c
verhandeln ... 12c
verhängen ... 10c
verheimlichen ... 10c
verhelfen ... 39c
verhindern* ... 13c
verhören ... 10c
verhungern (ist) ... 13c
verhüten ... 11c
verirren sich ... 10c
verjüngen ... 10c
verkaufen* ... 10c
verkehren (hat/ist) ... 10c
verkennen ... 40c
verklagen ... 10c
verkleiden ... 11c
verkleinern ... 13c
verkneifen sich[D] ... 34c
verknüpfen ... 10c
verkommen (ist) ... 41c
verkörpern ... 13c
verkraften ... 11c
verkriechen sich ... 53c
verkühlen sich* *süddt./ österr.* ... 10c
verkümmern (ist) ... 13c
verkünden ... 11c
verkürzen ... 14c
verladen ... 42c
verlagern ... 13c
verlangen* ... 10c
verlängern* ... 13c
verlassen* ... 43c
verlaufen (hat/ist) ... 44c
verlegen ... 10c
verleihen ... 46c
verleiten ... 11c
verlernen ... 10c
verletzen* ... 14c
verleugnen ... 11c
verleumden ... 11c
verlieben sich* ... 10c
verlieren* ... 75
verloben sich ... 10c
verlorengehen (ist) ... 31a
verlöschen (ist) ... 82
verlosen ... 14c
vermehren ... 10c
vermeiden ... 50c
vermerken ... 10c
vermieten* ... 11c
vermindern ... 13c
vermissen ... 14c
vermitteln ... 12c
vermögen *PP* vermocht ... 6c
vermuten* ... 11c
vernachlässigen ... 10c
vernehmen ... 51c
verneinen* ... 10c
vernichten ... 11c
veröffentlichen* ... 10c
verordnen ... 11c
verpachten ... 11c
verpacken ... 10c
verpassen* ... 14c
verpfeifen *ugs.* ... 34c
verpflegen ... 10c
verpflichten ... 11c
verprassen ... 14c
verprügeln ... 12c
verraten* ... 52c
verrechnen ... 11c
verreiben ... 20c
verreisen* (ist) ... 14c
verrichten ... 11c
verringern ... 13c
verrinnen (ist) ... 15c
verrosten (ist) ... 11c
versagen ... 10c
versammeln ... 12c
versauern (ist) *ugs.* ... 13c
versaufen *ugs.* ... 55c
versäumen* ... 10c
verschaffen ... 10c
verschandeln *ugs.* ... 12c
verschanzen ... 14c
verschärfen ... 10c
verschätzen sich ... 14c
verschenken ... 10c
verscherzen sich[D] ... 14c
verscheuchen ... 10c
verschicken ... 10c
verschieben ... 29c
verschlafen ... 57c
verschlechtern* ... 13c
verschleiern ... 13c
verschleißen ... 16c
verschlissen *PP* ... 16c
verschließen ... 58c
verschlimmern ... 13c
verschlingen ... 64c
verschlucken ... 10c
verschmerzen ... 14c
verschmutzen ... 14c
verschonen ... 10c
verschreiben* ... 20c
verschreien ... 59c
verschulden ... 11c
verschweigen ... 20c
verschwenden ... 11c
verschwinden (ist) ... 28c
verschwören sich ... 75c
versehen ... 61c
versenden ... 11/62c
versetzen ... 14c
versichern* ... 13c
versinken (ist) ... 72c
versöhnen ... 10c
versorgen ... 10c
verspäten sich* ... 11c
versperren ... 10c
verspotten ... 11c
versprechen* ... 21c
verständigen ... 10c
verstärken ... 10c
verstecken* ... 10c
verstehen* ... 65c
versterben (ist) ... 67c
verstopfen ... 10c
verstoßen ... 68c

W

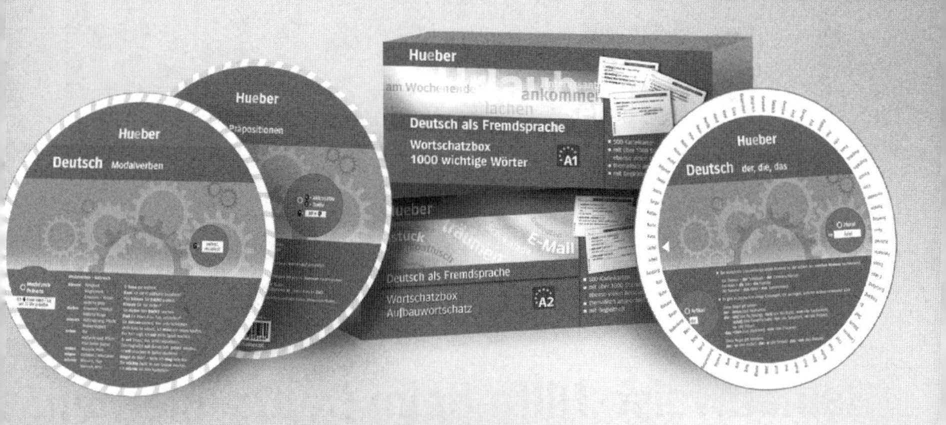

Gezieltes Training von Wortschatz und Grammatik!

Ein Handgriff – eine Lösung: Mit den stabilen und großformatigen *Wheels* haben Sie schnell den richtigen Dreh raus – und das bei allen Fragen rund um Wortschatz und Grammatik. Ideal für Sie zum Mitnehmen und Lernen unterwegs!

Mit dem bewährten Karteikartensystem (deutsches Wort auf der Vorderseite und die richtige Lösung auf der Rückseite) vermitteln Ihnen die *Wortschatzboxen Deutsch als Fremdsprache* die jeweils 1.000 häufigsten Vokabeln der Niveaustufen A1, A2 und B1.

Wheels
Durchmesser 19 cm, vierfarbig, aus Plastik

Adjektive
ISBN 978-3-19-949546-8

Akkusativ oder Dativ?
ISBN 978-3-19-909546-0

der, die, das
ISBN 978-3-19-939546-1

Modalverben
ISBN 978-3-19-959546-5

Präpositionen
ISBN 978-3-19-929546-4

Unregelmäßige Verben
ISBN 978-3-19-919546-7

Wortschatzbox Deutsch als Fremdsprache
Je 1 Kartenblock (500 - 600 Karten)
Je 1 Begleitheft Englisch, Französisch, Italienisch, Polnisch, Spanisch, Russisch* und Türkisch (je 16 - 24 Seiten)

1000 wichtige Wörter – Niveau A1
ISBN 978-3-19-007915-5

Aufbauwortschatz – Niveau A2
ISBN 978-3-19-107915-4

Erweiterter Aufbauwortschatz – Niveau B1
ISBN 978-3-19-207915-3

*Russisch nur bei A2 und B1

Freude an Sprachen

www.hueber.de/deutsch-lernen